QUALITÉS

OBJETS D'EN FRANCE

Bernard CHAPUIS et Ermine HERSCHER

QUALITÉS

OBJETS D'EN FRANCE

Photographies de François Boissonnet

Enquêtes de Laurence Murgeon et Jean-Baptiste Sibertin-Blanc

Éditions DU MAY

A Lucie (E.H.)

Aux K. (B.C.)

Nous remercions les personnes et les sociétés de nous avoir permis d'utiliser un certain nombre de photographies additionnelles, Florence Herbulot pour le Vaurien et la société Citroën pour la 2 CV.

ISBN - 2-906450-14-6

u Bazar de *Qualités,* on trouve soixante-quatorze bonnes raisons de s'approvisionner. D'ailleurs, ses fournisseurs exclusifs vous le diront eux-mêmes, qu'ils soient fondeurs, vermicelliers, sucriers, coutelliers, selliers, biscuitiers, parfumeurs, chemisiers, fromagers, laitiers, bijoutiers, pharmaciens, distillateurs, verriers, horlogers, carrossiers, ils ont tous une histoire à raconter. Car ils ont beau être (sans doute) les meilleurs des artisans, ils sont aussi des bateleurs. Rassemblés en une réunion extraordinaire, peut-être à l'occasion d'un ouvrage regroupant en famille leurs objets disparates, ils raconteraient des histoires d'amour, des histoires de famille, des histoires drôles ou moins drôles et des rencontres. Sur la façade de cette boutique imaginée serait écrit « Fait en France » et en petites lettres, sur le côté, on lirait aussi « fournisseurs depuis un siècle », un demi-siècle pour certains, et « on livre aussi à l'étranger ».

Un homme ou une femme possède ou a possédé au moins une fois dans sa vie chacun de ces objets. Cet homme ou cette femme existe à des millions d'exemplaires : c'est bien sûr à elle et à lui que ces pages sont dédiées. Ainsi que les objets qu'elles contiennent. Lui ne boude pas le béret basque, elle n'a rien contre le 5 de Chanel ; lui, fumant une pipe de Saint-Claude, se chauffe en charentaises devant un poêle Godin, tandis qu'elle noue à son cou un carré Hermès, avant d'aller lécher la vitrine de chez Cartier en suçant un cachou Lajaunie. Quant aux placards de la cuisine et à l'armoire à pharmacie, ils regorgent de chicorée Leroux ou de chocolat Menier, de Synthol ou de jouvence de l'abbé Soury. Les propriétaires sont des connaisseurs. Ils ont bien essayé parfois de remplacer leurs petits-beurres LU par des Shortbreads ou d'échanger le vélo Gitane contre un Raleigh. Mais les images, les goûts, les saveurs et les sensations d'ailleurs n'ont pu subvertir leurs habitudes, leurs fidélités et leurs souvenirs. Et il ne leur est pas indifférent de savoir que le quart Perrier soit le seul quart reconnu en Grande-Bretagne et aux États-Unis, que le Bic cristal se trouve dans le monde entier et qu'il y ait en Suisse, en Allemagne et aux Pays-Bas des clubs d'amateurs de 2 CV.

C'est la main, l'usage, la poche et la rue qui ont accueilli et façonné ces objets-là. Il était finalement naturel de voir Pablo Picasso sculpter à l'Opinel ou peindre au Ripolin ; que le roman inédit d'Alexandre Vialatte se nommât *La dame du Job* ; qu'un homme arpentât un port *«chaussé de ses weston»* dans un roman de Georges Perec. Dans le désordre des souvenirs d'enfance ou d'adolescence, ces noms de marque sont des noms de famille connus et aimés. En sélectionnant soixante-quatorze de ces familles, nous avons rassemblé une famille nombreuse. Cette sélection est arbitraire, évidemment. Cependant, si, dans la détermination de notre choix, nous avons eu spontanément recours à des images ou à des souvenirs personnels, nous n'avons pas manqué de filtrer nos émotions face à des objets universellement connus en France, à travers des critères dont le tamis permet de suggérer un mobile à la fois cohérent et sentimental à ce marché imaginaire où le véhicule succède à la quincaillerie, le vêtement à l'agro-alimentaire, l'outil au parfum et le modeste au luxueux. Ainsi les objets remontés dans le filet de ce livre sont-ils tous français, nés et trouvés en France. La peinture Ripolin, mise au point par un ingénieur hollandais a fait sa carrière en France. Idem pour le Viandox, dérivé d'un procédé du chimiste allemand Charles-Justus Liebig. Pareillement en ce qui concerne le yoghourt Danone, œuvre d'un homme d'affaires de Barcelone et commercialisé en France par le fils de ce dernier. Viandox, Danone et Ripolin sont des enfants nés en France de père étranger.

D'autre part, dans leur très grande majorité, nos portraits sont consacrés à des vedettes connues de tous en France. Là encore nous ne pouvons prétendre avoir été exhaustifs et l'on nous reprochera telle ou telle absence criante. On pourra même nous faire remarquer que la renommée nationale des cirés Cotten et des enceintes Cabasse - en dehors des gens de mer ou de plaisance et des passionnés de hi-fi - reste à prouver.

Cependant, s'il s'agit bien de produits en partie méconnus du grand public, l'aventure humaine que représente leur succès exemplaire en a fait deux candidats immédiatement agréés à notre exposition.

Ce fragment d'inventaire d'une spectaculaire copropriété nationale ne porte que sur la matière vivante, c'est-à-dire sur des éléments toujours fabriqués et toujours en vente. Aussi, à notre grand regret, nous-a-t-il fallu rejeter la candidature du tourne-disque 45 tours Tepaz et de la DS 19 qui ne sont plus produits. Il y a eu transaction sur les principes en ce qui concerne la 2 CV, encore usinée au Portugal, mais, en revanche, la rigueur du tri s'est exercée sur des sujets trop jeunes dont la mémoire collective n'avait encore pu se saisir pour les enrober de ce voile de rêve qu'engendrent l'usage et les souvenirs. Le Minitel a été victime d'une telle décision. Il semble en effet que cette étonnante invention ne provoque pas encore cet étrange phénomène affectif qui nous attache parfois aux objets familiers. Mais peut-être, après tout, d'ici une ou deux décennies, le Minitel figurera-t-il dans ce livre aux côtés d'autres bonnes vieilles choses ?

Par ailleurs, chacun connaît le portrait-robot, à la fois exact et improbable, du Français moyen selon ses attributs essentiels : le béret basque, la baguette, le litre de vin, le camembert. Le camembert a été rayé de la liste, parce qu'il y a trop d'étiquettes et le vin parce qu'il y a trop de crus. Dans ce dernier cas, l'ablation était moins déchirante, tant la littérature œnophilique est abondante, alors que, par chance, il existe peu d'ouvrages sur la pile Wonder ou le papier Job. C'est ainsi que nous avons partiellement mutilé le portrait-robot du Français moyen. Mais en l'enrichissant de soixante-quatorze éléments, nous espérons avoir sensiblement réparé les dégâts. D'ailleurs, nous n'avons pas eu le courage de recaler le béret basque, l'espadrille et le ticket de métro, bien qu'il n'existe pas de marque unique des deux premiers et aucune marque du troisième. L'espadrille et le béret sont indispensables et parfaits : ils méritaient un passe-droit. Quant au ticket de métro, nous l'avons vu sous toutes ses formes depuis sa naissance grâce à l'extraordinaire collection que nous a confiée un retraité de la RATP ; nous l'avons également revu dans le *Salaire de la peur,* quand Yves Montand le respire avant de mourir, pour retrouver l'odeur de Paris. Adopté.

L'histoire de l'entreprise humaine découverte derrière chaque objet a été un sujet d'étonnement. D'abord quant à la longévité : l'abbé Soury mit au point sa jouvence à la fin du XVIIIe siècle et Jean Bardou proposa les papiers à cigarettes Job en 1842, à peu près à l'époque où le grand-père Cartier, ancien grognard de l'Empire et fondateur de la dynastie, confectionnait des poires à poudre et sculptait des crosses de fusils. A l'origine de chaque marque, il y a une histoire individuelle. Un homme fait une trouvaille, il y croit et il la commercialise avec un acharnement et une vigueur extraordinaires. Les contrats qu'il noue avec ses partenaires sont souvent verbaux et respectés de génération en génération. Ces artisans n'inventent pas, ils trouvent. Ils ne procèdent pas à des études de marché, ils foncent et l'emportent. Ils s'engouffrent dans le mouvement de la révolution industrielle et participent, sans le savoir, à une révolution commerciale : au XIXe siècle apparaît un inconnu, le client. Toutes les marques dont nous parlons sont à l'origine animées par le souci exclusif du client. Ce n'est que par surcroît, et plus tard, que ce dernier devient un marché. Les archives des sociétés contiennent une histoire événementielle de l'entreprise en France d'une richesse insoupçonnable.

Dans la même perspective, on pourra constater que chaque objet présenté est inimitable et invariable. Inimitable parce que fait d'abord « à la main », pour un usage précis, dans une perspective d'utilité immédiate. Invariable, car si les emballages bougent, les logos des marques, les étiquettes et le contenu demeurent inchangés. Et c'est parce qu'ils sont immuables et inimitables qu'ils passent les frontières. Nous n'irons pas jusqu'à affirmer que la naissance artisanale d'un objet est l'unique condition à l'exportation. Mais nous sommes troublés de voir que nos soixante-quatorze protégés sont accouchés à la main : Vuitton met ses initiales sur ses sacs, Coco Chanel habille son n° 5 d'un flacon de laboratoire, des ingénieurs lyonnais enferment du gaz dans une petite boîte bleue, Michelin imagine le Bibendum... Pas de trace d'intervention de designer, pas d'étude de marché et pourtant des résultats. Tous ces artisans que l'on appellerait aujourd'hui des créateurs ont dû être des tyrans pour leur entourage, mais ils disposaient vraisemblablement de toute la légitimité pour l'être. De leurs mains sont nés de bons produits parce qu'utiles et si réussis d'emblée que le brevet protecteur n'apparaît (à tort) que comme une formalité. En somme, ces objets avaient peu de chances de naître ailleurs. C'est pourquoi ils demeurent si vivaces dans cet espace fait de sourires et de souvenirs où nous sommes allés les rechercher. Non pour en dresser une monographie savante et pas davantage pour en analyser le rôle dans notre inconscient. Il s'agissait de se livrer à un exercice de mémoire, un peu au hasard mais avec quelques précautions, dans la grande remise où patientaient depuis longtemps les objets trouvés.

BERNARD CHAPUIS
ERMINE HERSCHER

LES PÂTES ALPHABET RIVOIRE ET CARRET

Dans la panoplie des brimades gastronomiques infligées à heures fixes (et après s'être lavé les mains), les mères attentionnées avaient le choix entre le foie de veau ou les endives, le chou-fleur ou la cervelle. Mais il existait une torture beaucoup plus raffinée, qui tout à la fois récapitulait une semaine de goûts médiocres et retapait le potage de la veille : c'était le tapioca, dont les

particules transparentes sont tombées en désuétude. Heureusement venait le lendemain, moins cruel et plus encyclopédique c'était le jour des pâtes alphabet. Nageant dans le bouillon ou la soupe, les vingt-six lettres réjouissaient les potaches. Les plus grands des enfants cherchaient au fond de l'assiette, pour les étaler sur le bord, les lettres qui serviraient à écrire des gros mots pour faire rire les petits. Les plus énormes n'étaient que des ariettes, tels « popotin » ou « taratata ». La pâte alphabet a sans conteste toujours été signée Rivoire et Carret. Trente ans avant les lois de Jules Ferry, Jean-Marie Carret invente à Lyon une presse à macaroni, toujours visible au musée

du même nom, et surnommée la « carette ». En 1860, l'ancien commis d'une maison de denrées coloniales s'associe à son cousin, Claudius Rivoire, et les nouveaux « vermicelliers », comme se nommaient les fabricants de nouilles au XIXᵉ siècle, vont mettre ensemble la main à la pâte. Carret va jusqu'en Ukraine chercher les meilleures semoules de blé dur qui sont traitées dans les usines de Lyon, Paris, Mulhouse puis Marseille. Les deux cousins furent les premiers à mettre en boîtes leurs produits qui étaient jusqu'alors vendus en vrac. Poids net et propreté feront le renom de la dynastie. Les enfants Rivoire épousèrent les enfants Carret et ils eurent beaucoup d'enfants. Dans les 85 000 tonnes annuelles de pâtes produites à ce jour, les alphabets sont toujours façonnés dans des moules de bronze, plus précis que le teflon employé à d'autres dessins, et capable de supporter une pression de 100 kilos au m². L'académie des pâtes, dont le siège est maintenant à Marseille, fera toujours de belles lettres.

LE BÉRET BASQUE

Induits en erreur par de médiocres ethnologues, beaucoup d'étrangers croient encore que les Français dorment avec les Françaises et avec leur béret basque. De même, bien des enfants des lointaines nations s'imaginent que Louis XIV et Napoléon, dès qu'ils n'étaient plus assujettis à l'étiquette, s'empressaient de coiffer le leur. Ce couvre-chef colle au Gaulois. Il faut bien admettre qu'on

n'a pratiquement jamais entendu parler de béret finlandais, argentin, tibétain ou australien. Pourtant, en remontant toute la gamme des galettes de l'histoire, rondes ou carrées, et en passant du *birrus* à la *bérette*, il faut attendre la seconde moitié du XIXe siècle pour en arriver au béret, au vrai béret français, c'est-à-dire au béret basque. Rond, noir ou bleu noir, surmonté en son centre d'un petit bistouquet, tricoté en laine de mouton et feutré. Paradoxalement, il n'est devenu qu'assez récemment notre coiffure nationale, après la guerre de 1914-1918. Jusque-là, les hommes vivaient essentiellement coiffés de chapeaux et de casquettes. Le béret entama alors une fulgurante carrière nationale et internationale : Claudel, Hemingway, Michèle Morgan, Greta Garbo, Ingrid Bergman, Gary Cooper, Che Guevara et Fidel Castro

allaient arborer le béret basque, sans pour autant se déplacer avec une baguette sous le bras. Seuls les occiputs de la famille royale d'Angleterre ont été peu aperçus sous un béret français. Si français, que, durant l'Occupation, les Alsaciens le portaient en signe d'attachement à la patrie, et que les miliciens coiffaient le type chasseur alpin, tandis que les résistants optaient pour le type SNCF. A Oloron-Sainte-Marie, dans le Béarn, des maisons comme Beighau ou Laulhère (fondée en 1800) fabriquent toujours des bérets. La seconde a résolument opéré une reconversion dans les bérets féminins, qu'il y a peu de chance de voir jamais au sommet d'un tracteur. Il est indéniable que notre coiffure nationale est actuellement moins portée. Mais il convient d'attendre le regain de faveur que lui vaudront tôt ou tard ses qualités essentielles. En effet, seule la calotte de laine feutrée placée sur la boîte crânienne peut aussi efficacement garder au chaud et tenir à l'abri des intempéries les pensées des Français.

LA SARDINE RÖDEL

Dès l'origine, des fées s'étaient penchées sur le berceau en fer-blanc des sardines Rödel. Des fées certes masculines, mais des fées tout de même, qu'on en juge : quand, en 1824, Nicolas Appert, inventeur du procédé moderne de la conservation des aliments frais, décide de créer à Bordeaux la première conserverie aux Magasins généraux de la Marine, c'est à Charles-Désiré Rödel, son

collaborateur et disciple, qu'il en confie la direction. Quand, en 1978, Georges et Bernard Hilliet, patrons de la conserverie La Belle Illoise, reprennent la fabrication, c'est en réactualisant fidèlement le livre des *Recettes et instructions Rödel* établi en 1934. Lequel livre nous confirme que les sardines Rödel, installées par groupe de cinq à sept dans leur boîte 1/6 P25, sont des enfants gâtées. Non seulement elles sont étêtées, éviscérées, préparées et emboîtées à la main — traitement qu'ignorent 95% des poissons en conserve mis sur le marché — mais encore les catégories « à l'huile » (3/4 arachide, 1/4 olive extra-vierge) et « à l'huile d'olive » (100% extra-vierge semi-fruitée de qualité supérieure) doivent-elles attendre six bons mois minimum de maturation avant d'être mises en vente, sachant que, selon les meilleurs cavistes en sardines, la perfection absolue se situe aux alentours de dix-huit mois d'âge. Par ailleurs, l'accès à la conserverie est à peu près aussi fermé que l'entrée à Eton : 80% des

candidates sont tenues d'être bretonnes, c'est-à-dire chères et petites, les 20% restantes devant faire montre de qualités comparables. Sur le chapitre de la moralité, le livre *Recettes et instructions Rödel* est formel : « *Sardines congelées et surgelées seront, quelles que soient leur qualité apparente et leur présentation, systématiquement refoulées. Cette règle ne souffre aucune exception.* » Seules, en effet, les sardines fraîchement recrutées tout au long des cinq mois de la période de pêche seront admises à passer le porche de la conserverie, devant lequel les congelées et surgelées auront bien inutilement fait la queue. Dotée d'un tel pedigree, la sardine Rödel est l'indispensable compagne des instants choisis. Ainsi ouvrira-t-on de préférence une boîte « à l'huile d'olive et au citron » avant une soirée à l'Opéra ou une boîte de « chica-pica aux aromates » avant la corrida. Ainsi disposera-t-on d'une boîte « à l'huile d'olive et au poivre vert » pour un tête-à-tête sentimental sur un rocher nu ou d'une boîte « aux truffes et aux achards » pour fêter le Nouvel An au lever du jour. Quant à la boîte « à l'huile d'olive », elle devra figurer à tout instant dans le buffet de la cuisine et dans la boîte à gants de la voiture.

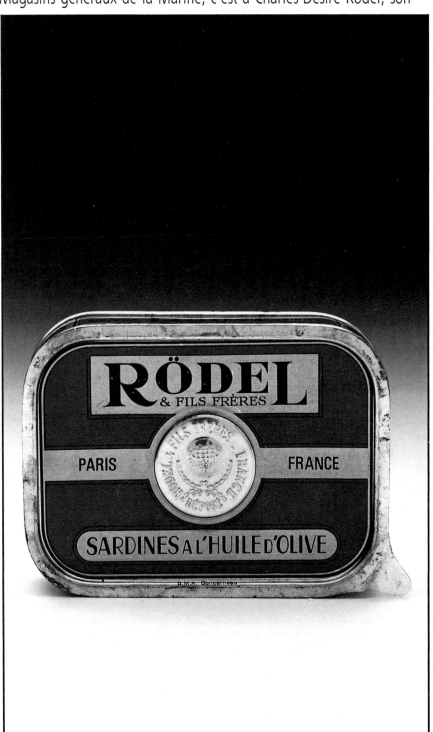

LA MALLETTE VUITTON

On identifie les lépidoptères ou les coléoptères grâce à certaines marques qu'ils portent sur les ailes ou la carapace. Il en est ainsi de tous les groupes ou sous-groupes de l'espèce Vuitton, que l'on reconnaît très nettement à un double signe en forme de L et de V superposés. Renseignements pris, il s'agirait des initiales de Louis Vuitton. Avant de faire le tour du monde en passant des

millions de fois par la case Chance, elles désignaient simplement un petit garçon nommé Louis, né en 1821 dans le moulin de son meunier de père, à Anchay dans le Jura. Le Jura mène à tout. Y compris jusqu'au Japon, si l'on en juge par ces files nipponnes, qui, dans le plein des années 70, assiégeaient le magasin de Paris dans le but d'y acquérir l'un de ces articles enrobés de toile initialée et dans l'espoir fragile que leur possession ferait d'eux des élégants. Afflux et demande (pas seulement japonais) si considérables que, dans les années 80, l'honorable société familiale dut changer ses structures juridiques, commerciales et financières, pour faire face aux effets du bonheur. Vuitton se mêle résolument de notre vie privée. Avant de s'installer à son compte en 1854, le grand-père Louis, layetier et malletier de son état, emballe à domicile les crinolines, jupons et coiffes des élégantes du Second Empire qui se

rendaient aux eaux et ne savaient comment s'y prendre. L.V. a le progrès pour lui : en 1885, la première ligne de l'*Orient-Express* joint Paris à Vienne en vingt-sept heures à 48 km/h de moyenne. Trente ans plus tard, le *Mauretania* traverse l'Atlantique en cinq jours. De la diligence au Jumbo Jet, Vuitton demeure le monarque des soutes à bagages et l'attraction des suites fortunées. En 1886, malle en toile rayée pour le sultan Abdul Hamid. En 1901, création du *steamer-bag*. En 1926, *tea-case* pour le maharadjah de Baroda. En 1936, malle-secrétaire du chef d'orchestre Léopold Stokowski, toujours au catalogue sur demande. Depuis cent trente-trois ans, la famille jurassienne a appris à manier une image de marque. Ainsi, les sacs se nomment-ils Bagatelle, Dauphine, Passy, Rond-Point, Vendôme ou Trocadéro, noms de modestes lieux-dits parisiens. Mais à Houston, Buenos-Aires ou Tokyo, Passy ou Bagatelle sont des passeports. « *C'est ainsi* », dit la chronique de l'entreprise, « *que l'on devient grand, parce que les autres le veulent.* »

LE COUTEAU ÉCONOME

On faciliterait grandement la tâche des futurs archéologues en joignant à l'objet en question, sur un lieu présumé de fouilles, une notice expliquant l'usage du couteau qui ne coupe pas et dont la lame est formée d'une gouttière dont le fond présente une ouverture à deux bords tranchants. Sur le manche, ils déchiffreraient le mot « l'économe » et découvriraient un symbole :

un parapluie ouvert. Il faudrait, pour les aider, joindre quelques fines épluchures de carottes ou de pommes de terre, et les savants feraient alors une intéressante communication à l'Académie des sciences et techniques du passé, indiquant qu'à l'aube du XXᵉ siècle l'homme se nourrissait de la fine peau des tubercules et qu'il la prélevait sur celles-ci au moyen d'une arme blanche, commercialisée par quelqu'un qui « *savait éviter toute dépense inutile* ».

L'histoire du futur étant ainsi arrangée, nous pouvons revenir à Thiers vers la fin de l'année 1929, où nous rencontrons M. Pouzet partant déposer son projet de lame en acier fin au carbone, montée sur un manche en bois. En 1970, la fusion de deux sociétés du nom de Thérias et de l'Économe permettait à cette dernière, dont le brevet était tombé dans le domaine public, de continuer de concert la production d'outils de cuisine pour professionnels et amateurs, en France et à l'étranger. Deux millions de pièces par an, pour une gamme couvrant tout ce qui tranche, évide, coupe, découpe, écaille, tartine ou pique, le couteau dit « l'économe » restant l'indispensable avec plus de vingt-deux variantes. Les cuisiniers et les carottes ne s'entendant véritablement qu'au biais de l'éplucheur.

LES WESTON

Le Limousin produit des limousines, certes, mais aussi des cuirs de la plus haute qualité. Cuirs trempés dans des fûts de chêne remplis d'eau de pluie pendant près d'un an et destinés à être traités en grandes pompes. Et plus spécialement pour confectionner les fameuses chaussures Weston, bien que certaines soient faites de peaux de requin, de kangourou, de lion de mer, zébu,

réseau express régional, ces confortables croquenots, dont la fantaisie cède le pas au confort, marchent tout seuls depuis 1865. Édouard Blanchard, fondateur de l'entreprise Blanchard et Cie, successeur de Chatenet, envoie son fils Eugène en mission aux États-Unis, où ce dernier s'imprégnera du procédé de cousu trépointe. A son retour, il l'applique à la fabrique de chaussures de luxe de papa, diminuant par là-même la production quotidienne, et, en 1927, les paires sont confectionnées en six heures chacune avant d'être

mises en vente dans le nouveau magasin du parc Monceau. Il est difficile aujourd'hui de ne pas trouver chaussure à son pied dans les quatre magasins éponymes : il existe vingt-quatre pointures de chaque modèle, chacune divisée en cinq largeurs. C'est ainsi que les têtes couronnées ou pensantes de tous les pays, du sultan du Maroc à Noël-Noël, de Van Dongen à Jean Nohain, de Fernandel à Yves Saint Laurent, de Valéry Giscard d'Estaing à François Mitterrand, se chaussent français. Le nom « J. M. Weston » n'étant, bien entendu, qu'un pseudonyme. Dans les bonnes familles, celles qui appliquent à la lettre les principes de l'ouvrage *l'Art d'économiser sans se restreindre*, publié à la librairie Joseph Gibert, il n'est pas rare de garder ses « moc » Weston plus de dix ans, après deux ou trois ressemelages. Allez savoir si les Américains feront de même avec les leurs, achetés dans la nouvelle boutique de la 57e rue ?

éléphants ou autres habitants des zoos. A Limoges, le tanneur, le coupeur, le formier, le couseur, qui détient encore le secret de la « couture norvégienne », vont fabriquer les indémodables derbys à l'allure et au nom tout britanniques. Plus destinés à arpenter les couloirs des ministères, des lycées, des night-clubs ou des aéroports qu'à marteler le sol des usines, des supermarchés ou du

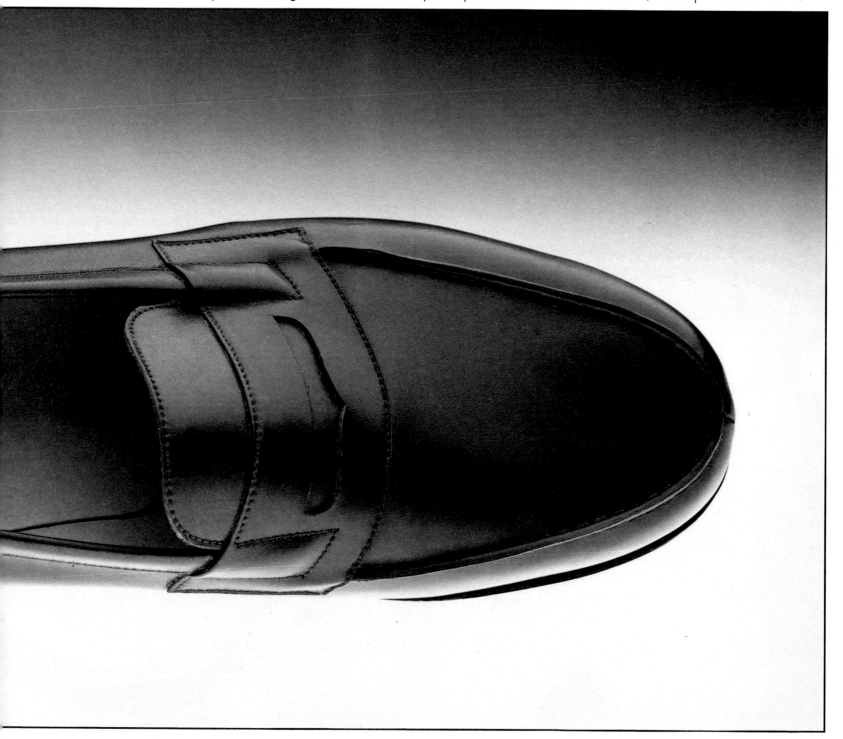

LE VÉLOSOLEX

Dès sa commercialisation, en 1946, le Vélosolex a suscité la convoitise des gentlemen, des vignerons, des instituteurs, des abbés, des campagnardes, des infirmières et d'un certain nombre d'inconnus, pour qui l'invention de l'automobile n'avait représenté qu'un bref intermède, amusant certes, entre la traction à cheval et la découverte de la bicyclette qui roule toute seule. L'élégant

de Solexine aux 100 kilomètres. Le guidon haut autorise le port du parapluie dans la saignée du coude, ou d'un panier d'œufs, si le porte-bagages est déjà occupé par la malette aux *impedimenta*. Sous ce dernier, une boîte à outils, façon boîte à seringues, permet d'affronter les péripéties du transit, tandis que la petite pompe, actionnée en cas de besoin, facilite une généreuse dépense d'huile de coude. Manier le levier de débrayage — autrement dit la « poignée de Solex » — entraîne inexorablement le basculement du réservoir, du phare, du cylindre et du bloc-moteur sur le

pneu avant, un simple 600 demi-ballon, et hop on sent la bicyclette rouler toute seule. En cas de déplacement, le Solex est notamment utile dans les côtes, où il économise le souffle, sans inciter à la paresse grâce au pédalier de secours, dans les descentes, où le frein moteur évite les emballements si dangereux aux cyclotouristes et enfin, sur les plats, où sa progressive conquête des hectomètres ménage largement la négociation des courbes les plus impromptues. Entre 1946 et 1985, quinze versions successives du Goudard et Menesson furent mises en circulation — la plus célèbre étant le S 3800 (1966), 28,6 kilos, et toujours au catalogue de Motobécane, actuel fabricant, car la demande, nonobstant la concurrence des ULM, demeure forte. Tout au plus le S 3800 existe-t-il désormais en plusieurs coloris.

insecte noir mis au point en 1942 par MM. Goudard et Menesson s'est imposé d'emblée aux zélateurs de l'asphalte et du chemin de terre qui considéraient la vitesse comme un inconvénient, et le déplacement à l'air libre en position assise sur une selle douillette adaptée à toutes les familles de derrières comme un confort flirtant avec le luxe. Un luxe qui se troquait contre 1 litre

LE RÉVEIL JAZ

Le bon vieux Jaz mécanique de forme ronde est assurément le caïd des tables de nuit et le compagnon rêvé sur une île déserte. Avec lui, vous livrerez victorieusement le combat contre la solitude grâce aux 43 200 tic et autant de tac qu'il délivre très métalliquement, très régulièrement et très exactement en une journée de travail, vous donnant l'apaisante certitude que, si le

temps passe, il ne passe pas tout seul. Composé de douze chiffres numérotés de 1 à 12 et d'une paire d'aiguilles (dont une courte et l'autre longue), il vous abat un tour de cadran sans rechigner et sans défaillir si vous prenez soin de le remonter comme un jouet mécanique. La nuit, la réconfortante lueur de ses chiffres phosphorescents vous permettra de faire le point sur la progression de votre insomnie ou de repérer l'instant précis où vous avez échappé à un épouvantable cauchemar. Optez pour le modèle 2448 (nickelé), ou pour l'imposant 4742 avec ses deux gros timbres apparents, qui semble avoir été « désigné » par Tex Avery et qui, à la sonnerie, vous expédiera directement au plafond, même si vous êtes un peu dur d'oreille. Un bon gros Jaz est, en effet, un ange gardien capable de réveiller tout un dortoir. Il ne fait pas de chichis. Dans sa forme ronde, il n'a pas, fort heureusement, bougé depuis des lustres, avec sur le cadran, depuis 1919, le petit volatile distinctif de la marque : un « oiseau jaseur » du Brésil. Certes, l'entreprise, en ses ateliers de Wintzenheim, près de Colmar, produit aussi des réveils carrés, ou à quartz, ou des radio-réveils. Mais il était vraiment impossible de passer sous silence le bon vieux Jaz de forme ronde qui répond du tic au tac, quelle que soit l'heure, et, surtout, quel que soit le temps.

LA BOULE QUIES

En exclusivité pour une de ses clientes, un pharmacien parisien du nom de Pascal confectionnait des petites boules de cire contre tous les Vroum, Brrr, Clang, Bing, Tap, Tac-Tac, Tuut-Tuut, Plaf, Wouah, Pan, Dring, Wouit ou Boum. Mme Henry-Lepaute fut donc la première Française à bénéficier de l'abattement de quarante décibels procuré par le port du premier remède antibruit au

monde. L'invention, à base de carbures d'hydrogène purifiés, à malaxer avant usage, fit tout de suite beaucoup de bruit dans le quartier, dans la ville, puis dans le pays. Un nom fut trouvé : Quies, dont Félix Gaffiot donne les traductions suivantes : repos, calme, tranquillité, paix, silence, sommeil. Un sigle fut dessiné, royal certes, mais montrant un léger contresens avec la légende, l'épervier représentant traditionnellement le

soleil. En carton pendant la guerre, métalliques jusqu'en 1970, puis en plastique, les boîtes de quatorze boules mettent aujourd'hui quatre-vingts millions d'oreilles par an à l'abri (soit, si nos calculs sont exacts, quarante millions de paires de boules). Vingt-cinq personnes travaillent à l'usine de Gennevilliers, tout comme il y a un demi-siècle, et la fabrication est mécanisée depuis peu. Seul l'emboîtage se fait encore à la main. De conception simple, d'un prix de revient modique (avec 1 kilo de cire, on façonne 800 boules), la boule tranquille n'a jamais été imitée. Les meilleures ventes des petites paires se situent en ville, durant les fêtes et surtout pendant les grosses chaleurs. Dormir dans un centre urbain toutes fenêtres ouvertes nécessite une certaine mise en scène. De Tokyo à Moscou, elle est la même et son nom latin est devenu un nom propre.

LE ZODIAC

Il existe deux circonstances dans lesquelles l'utilisation d'un Zodiac présente peu d'agrément : le passage des quarantièmes rugissants et la traversée d'une piscine, même olympique. Hormis ces deux cas extrêmes, le boudin noir — ou rouge ou fluorescent — se pratique pieds nus, comme dans les mosquées, en toute occasion, pour toute surface liquide. On utilise le Zodiac pour aller

vérifier de près ce qui peut empêcher d'amener l'ancre; on l'utilise pour plonger ou s'ébattre entre la côte et le bateau; aux escales, on l'utilise sans cesse pour se rendre d'un bord à l'autre afin d'honorer une invitation à boire un punch, ou pour se rendre au port, où il y a toujours quelques courses à faire ou une partie de backgammon à disputer dans le calme du yacht-club. Un bateau est un bateau : un Zodiac est un véhicule, une Jeep des mers. C'est une robuste petite voiture pneumatique tout terrain presque entièrement à l'abri des crevaisons, des embouteillages et des altercations propres aux gens de terre. Tout le monde peut posséder un Zodiac : un riche yachtman, qui passera ainsi élégamment inaperçu; un modeste plaisancier, qui pourra discrètement laisser croire qu'il est un riche yachtman. La position assise

sur le flanc supérieur du boudin latéral, quoique familière, est très seyante et tout à fait fonctionnelle. Position adoptée par le commandant Cousteau tel matin lointain de 1954, quand il quitte la *Calypso* pour aller filmer sans relâche le monde du silence. Adoptée également par le docteur Alain Bombard, qui, en 1952, traverse l'Atlantique à bord d'un Zodiac de série. Adoptée par cet ingénieur atomiste en tenue antiradiation, qui descend dans la cuve d'une centrale aux eaux étrangement calmes. Adoptée des centaines et des milliers de fois par des gens qui, etc. « Boudin noir » est né, en 1937, dans les locaux de la Société française des ballons dirigeables. Cette année-là, l'ingénieur Pierre Debroutelle se jette à l'eau et sort de ses cartons les plans du premier modèle de bateau pneumatique. Le Zodiac, avec un Z comme Zorro, couvre actuellement 90% du marché français et 40% des ventes mondiales. En tout propriétaire de Zodiac, il y a un port qui sommeille.

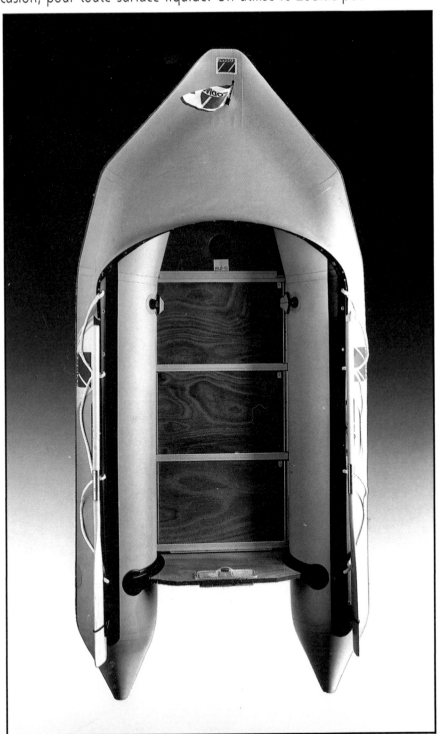

LA COCOTTE SEB

En Bourgogne, on trouve des vins et des escargots mais aussi des cocottes. Les premiers marchent tout seuls, les seconds à leur rythme et les dernières sont sous pression. Avant, ici dans les collines, la ménagère arrangeait quelques patates et du lard dans un caquelon de terre vernissée qu'elle plaçait sur un trépied dans l'âtre. Quelques heures plus tard, le plat était prêt. Maintenant, elle

jette des patates et du lard dans un autocuiseur en acier inoxydable, serre la vis, joint le geste à la vapeur et dix minutes plus tard, la cuisson est terminée. Autres temps, autres habitudes et, une fois acquise celle de cuire « à l'hermétique », l'outil inventé par Papin en 1680 pour *« ramollir les os et cuire la viande »* convient aussi bien aux gastronomes qu'aux marins, aux gens pressés qu'aux économes. La Société d'Emboutissage de Bourgogne (SEB) le sait bien, qui en est à sa vingt-cinq millionième cocotte depuis son éclosion en 1953. Vers les années 1955 paraît un article définitif dans un journal féminin, sous le titre : *« Faisons le point une fois pour toutes »*. Il nous indique qu'il existait alors plus d'une vingtaine de cuiseurs sous pression. Certains explosaient, telles des bombes, d'autres cuisaient trop lentement et s'appelaient Bel Cocotte, Bonne Femme, Caroline ou

Cocotte midi. La cocotte SEB, en fonte emboutie, avec sa fermeture de sous-marin et son manomètre, devait être la plus sûre et la plus solide, puisqu'il existe encore en circulation des modèles fabriqués entre 1955 et 1959. Au mépris des règles élémentaires du commerce, elles avaient et ont toujours une durée de vie de plus de quinze ans. A l'époque, le président-directeur général, Frédéric Lescure, démarchait lui-même ses produits, avec deux valises et un marteau qui lui servait à éprouver et à prouver leur solidité. Détournées en stérilisateurs, voire en alambics ou même en décolleuses de papiers peints, les cocottes n'ont pas changé de silhouette après vingt-cinq ans. Elles sont présentes au Japon, au Brésil et dans toute l'Europe : les dirigeants de SEB les appellent cocottes aux œufs d'or et lancent actuellement l'ultracuiseur. Plus sensible que son aïeule, il est tout à fait capable de lutter contre l'ennemi numéro un : le four à micro-ondes. La collection des cocottes SEB décline toute une gamme de couleurs et de matières en onze tailles différentes. Elle va à tous et à toutes.

LES LUNETTES VUARNET

La vraie Vuarnet n'est ni ronde ni carrée. Elle serait plutôt carrée, mais alors bien arrondie. Ou alors assez arrondie, mais tout de même bien carrée. Elle a une forme à elle que l'on reconnaît au premier coup d'œil, même s'il est difficile de la décrire. Il y a ce verre, notamment, qui change de teinte selon l'orientation et interdit, assez désagréablement, de discerner le regard du

et des montagnards des villes, on la repère maintenant sur tout nez qui se respecte. A tel point que tout porteur de Ray Ban, la reine déchue, ressemble désormais à un pilote d'hélicoptère égaré dans un scénario inachevé. Aussi la Vuarnet est-elle très copiée pour la forme de ses montures, mais pas pour ses verres dont la formule est gardée secrète. Derrière la première paire de Vuarnet, il y a Jean Vuarnet, le champion olympique au pull-over rouge de Squaw Valley, en 1960. Lors de sa victoire, il portait des

lunettes Skilynx, permettant une exceptionnelle vision du relief, par temps gris ou lumineux. Leur fabricant, Roger Pouilloux, opticien de son état et déjà inventeur des lunettes antiphares Lynx, proposa au skieur de donner son nom aux lunettes qu'il portait à Squaw Valley. Ce dernier accepta. C'était la première fois qu'un grand sportif associait son nom à une marque. On aura donc compris que derrière une paire de Vuarnet se cache une paire de Pouilloux. A quatre-vingt-trois ans et 31 fractures, soit à ski, soit à cheval, ce dernier a vendu en 1986 1 400 000 paires de ces étranges lunettes qui ne sont ni rondes ni carrées et dont la monture porte le V de la victoire.

propriétaire. Mais si commode sur neige, par grand soleil ou temps de brouillard, ou dans le désert, quand on marche face au levant ou au couchant, ou en voiture, par temps variable, ou à la terrasse d'un bistrot, par temps calme. Avec cet air anodin qui se remarque, la Vuarnet est devenue très à la mode. En France, où l'on ne la voyait que sur le nez des montagnards des montagnes

LE CARAMBAR

Tous ceux qui ont connu le Carambar à 5 centimes paient maintenant des impôts et ne sont pas loin d'être grands-parents. Ceux qui les monnayent aujourd'hui 30 centimes ne respectent plus rien — à commencer par ceux qui les payaient autrefois 5 centimes —, parlent à l'envers et gèrent un budget mensuel d'argent de poche qui les fait considérer par les marchands d'images publicitaires

comme un « marché porteur ». Aussi le Carambar d'antan s'appelle-t-il aujourd'hui Supercarambar. Le nôtre, qui n'était pas loin d'être super non plus, est né en 1954. La légende, qui vaut aussi bien pour les fées que pour les caramels, voudrait qu'une des machines de l'usine de Marcq-en-Barœul se soit détraquée, donnant naissance à un bonbon d'une longueur inhabituelle : 6,2 centimètres. Par chance, la maison Delespaul-Havez détenait des surplus de cacao à écouler. Cette anomalie de la confiserie française a déjà sucré six générations de gastronomes de la récré. Etirable, tordable, suçable, le caramel mou dure le temps qu'il faut pour poisser les doigts et coller aux quenottes les plus saines. Pendant ses trente ans d'existence, le Carambar, symbole du premier achat de l'homme, s'est étiré, rallongé, a maigri ou grossi. Il pèse aujourd'hui 8 grammes contre 12 en 1954, mais mesure maintenant 7,5 centimètres. Les sémiologues auront noté que le vocable « super » désigne ici plus la longueur que le poids. Les historiens aimeront savoir que 700 millions d'unités en sont fabriquées chaque année. Les statisticiens en auront immédiatement déduit que cela représente 13 pièces par personne et par an. Nous en connaissons certains qui dépassent largement la moyenne.

LA LAMPE BERGER

« Atmosphère, atmosphère, est-ce que j'ai une gueule d'atmosphère, moi ? » Quand Arletty, appuyée à la rambarde du pont de l'écluse de l'hôtel du Nord, apostrophait l'impavide Louis Jouvet, il y avait déjà quarante-et-un-ans que la lampe Berger faisait de l'atmosphère un peu partout. Et même avec une belle gueule d'atmosphère. Car sur les 4 000 modèles de flacons édités depuis

l'invention du pharmacien Marcel Berger, le design du flacon fut parfois confié à des mains aussi sûres que celles de Lalique, Gallé et Daum. L'ingénieux principe de la combustion catalytique d'une composition alcoolique baptisée ozoalcool, à résonance de divinité babylonienne, n'était pas d'exterminer une particule de sent-mauvais en la confiant aux soins de deux particules de sent-bon. Il s'agissait tout simplement de désintégrer le sent-mauvais (qui peut d'ailleurs être un mauvais sent-bon) partout où il se trouve : dans l'atmosphère, mais aussi sur les meubles, les rideaux, les coussins, les tapis. Ainsi la discrète et industrieuse lampe magique rend-elle une salle utilisable aussitôt après son évacuation par une confrérie de mangeurs d'escargots. Elle a dû également figurer sur quelque

guéridon pékinois de telle fumerie d'opium clandestine trouvée dans un roman de Claude Farrère. En fait, à l'origine, la clientèle était plutôt snob : on trouvait certainement la lampe Berger chez Odette de Crécy ou dans les bridges de Neuilly, où l'on faisait le mort en grillant des Craven A. Un anglicisme dans une réclame d'époque ne laisse à cet égard aucun doute : « *En 1929, triomphe de la lampe Berger qui assainit et parfume l'air dans cent mille homes de vingt-sept nations* ». De nos jours, les classes moyennes sont très largement touchées par le phénomène de la lampe Berger qui, de vestale des boudoirs, devient guérisseuse d'ambiances, sous le signe de la qualité maintenue : être l'épicerie fine de la droguerie, telle est la religion de M. Marcel Auvray, actuel P.-D.G. de l'usine transportée à Bourgtheroulde, en Normandie. Parmi les institutions dont Berger est fournisseur, on recense la cour royale d'Angleterre, la famille Grimaldi et la Banque de France. Nul n'ignore, en effet, que si l'argent n'a pas d'odeur, il dégage une atmosphère.

LE PNEU MICHELIN

Michelin, qui s'intéresse aux problèmes du voyageur moderne, espèce apparue au XVIIIe siècle, a inventé le pneu, la signalisation, les cartes routières, le guide vert, le guide gastronomique et les michelines. Il a recensé tous les défis nés de l'activité du pneu et les a relevés avec un austère et malin plaisir. Michelin n'est pourtant pas là pour blaguer. Il a des clients, et il les craint : c'est sa

manière de les satisfaire. Né en Auvergne de la libre circulation des gens et des idées, il appartient à ce centre volcanique de la France qui s'est désenclavé par l'essaimage de ses fils, en léguant au pays des présidents du Conseil, des présidents de la République, des écrivains, des limonadiers et des bals musette. Et aussi des pneus. Quand on est du Centre, on sait observer autour de soi. Les Michelin, famille adoptive de Bibendum et fondatrice d'une industrie cantonale, avaient pour ancêtre en 1830 un nommé Aristide Barbier, fabricant de machines agricoles et époux d'une nièce de l'Ecossais Mac Intosh, découvreur de la solubilité du caoutchouc dans la benzine. D'où la subtile parenté entre l'Ecosse et l'Auvergne, entre le pneu et l'imperméable. Ce qui devait arriver arriva. En 1891, les frères Michelin, descendants du ci-devant couple, lancent le premier pneu de vélo démontable. En 1894, le premier pneu pour fiacre. En 1895, le premier pneu pour auto.

Le pneumatique sera à la'roue ce que le cinéma parlant fut au muet. En 1946, dépôt de brevet pour le pneu à carcasse radiale. Le dernier né, après les épais poufs de la Formule 1, est l'Air X radial, qui chausse élégamment l'Airbus. Mais revenons à terre. Micheline, vous connaissez ? C'est une Michelin. D'une humeur de dogue après un trajet Paris-Cannes sans sommeil, en février 1929, André Michelin dit à son frère Edouard : « *Il faut mettre des pneus aux wagons pour y dormir.* » Ce sera la micheline, avec son air de pont supérieur de ferry-boat lacustre. Un chef-d'œuvre de design d'intérêt local, dont le prototype à cent places effectue, le 1er avril 1936, son premier parcours Clermont-Ferrand-Brive-Tarbes. Sur route, Bibendum a balisé, à ses frais, la presque totalité de nos carrefours de poteaux indicateurs indestructibles en lave émaillée, d'Auvergne, bien sûr. Ainsi, tandis que Vidal de La Blache nous enseignait à l'école les rudiments de la France, Bibendum, avec tout son appareil critique de caoutchoucs, de cartes, de guides et de poteaux, achevait le travail sur les nationales, les départementales, les vicinales et les sentiers. Seules échappent au recensement les cours de ferme et les entrées d'immeubles, qui sont le bout du chemin de Michelin. A condition de n'être pas classées.

LA JOUVENCE DE L'ABBÉ SOURY

La clientèle favorite du confesseur est féminine. Sans doute le bon abbé Soury (1732-1810) eut-il l'intuition, en entendant ses fidèles Normandes passer aux aveux, que si l'état de péché pouvait se soigner à l'aide de conseils pastoraux et de pénitences, bien des errances de l'âme pouvaient ressortir aux tourments engendrés par les maladies de la circulation. En ce siècle où La Condamine

avait entrepris de répertorier les plantes et où les botanistes de M. de Bougainville en étaient revenus les poches pleines, à l'issue d'un tour du monde fameux, la médication par les simples faisait la gloire de la pharmacie. Instruit par l'abbé Delarue, l'abbé Soury mit au point un commando végétal composé d'hamamélis, de colombo, de viburnum, de piscidia, de muguet, de condarango, etc., dont la conjugaison sous le nom de jouvence rétablissait la circulation sanguine là où il y avait lenteur ou embouteillage. L'action circulatoire faisait reculer le front de la jambe lourde, là où la varice n'est pas un péché mais une douleur. L'action de soulagement des troubles

prémenstruels s'attaquait aux vertiges, aux maux de tête, aux faiblesses, aux vapeurs, qui, tous les vingt-huit jours, marquaient cette période de tension conjugale tant redoutée par des maris désœuvrés, maladroits et confinés dans un sentiment d'inutilité surnuméraire. L'abbé Soury fut un bienfaiteur des foyers. Quand son arrière-petit-neveu Magloire Dumontier, pharmacien à Rouen, commercialisa la jouvence, ce fut un succès. Les laboratoires Vaillant-Defresne, vieille maison fondée en 1826, l'ont rachetée il y a vingt ans et lui ont donné une seconde vie. En 1939, la réclame présentait tante Annie, sorte de mère Denis bourgeoise, dont l'éternelle jeunesse laissait pantoises les jeunes amies lasses et inquiètes venues lui demander son secret. Dans les années 80, l'on voit deux jeunes femmes trottant en jogging sur un littoral : « *Pour avoir un sang jeune, entretenez-le* », ou encore : « *Pour les femmes qui bougent* ». Testée positivement en laboratoire, il y a quelques années, la jouvence de l'abbé Soury, elle, n'a pas bougé depuis le XVIIIe siècle. Bien qu'elle existe aujourd'hui en comprimés.

LA PILE WONDER

Estelle Courtecuisse, antiquaire, était une femme au courant. Un jour de 1916 qu'elle était fatiguée de vendre des vieilleries, un nouveau courant l'inspire — ni plus ni moins. Elle invente non pas la pile qui, comme chacun sait, avait été trouvée par M. Leclanché en 1877, mais la pile Wonder (prononcer « vonder » en français), de *wonderful* : la mode est à l'anglais.

De mémoire d'homme, jamais on ne vit une antiquaire de la rue Marcadet, à Paris XVIIIe, réussir aussi bien dans le commerce des générateurs d'électricité produisant le courant par une action chimique ou thermique. Cédant à une impérieuse pulsion, la famille Courtecuisse fabrique des petites boîtes ornées du pavillon anglais et destinées à alimenter les troupes en électricité. La guerre terminée, seul Victor, fils d'Estelle, comprendra l'opportunité de poursuivre la fabrication. On ne sait à qui attribuer la paternité de l'épatant slogan : *La pile qui ne s'use que si l'on s'en sert*. Il figure pourtant en bonne place dans les pages roses du dictionnaire de la réclame.

Alimentant les lampes de poche, les jouets (qui n'a goûté du bout de la langue le délicieux frisson de savoir si la pile était encore bonne et, qui sait, pensé risquer sa vie?), les appareils de TSF ou les sonneries, les petites boîtes de carton recouvertes de papier bleu et rouge renfermaient en leur cœur un vibrant mystère que nous ne nous aventurerons pas à dévoiler. Elles contenaient pourtant leur quota de cathodes, d'anodes, de collecteur négatif ou de mélange neutralisant que les âmes sensibles ne pourraient voir mis à nu. L'entreprise familiale le reste jusqu'en 1985, date à laquelle le courant ne passe plus. Une reprise est alors effectuée. Et les piles d'aujourd'hui, qui fournissent vingt fois plus d'énergie qu'à leur naissance, sont alkalines et produites au nombre de deux cents millions par an. Le Français est un grand amateur de ces petits engins. Il en consomme dix par an et par habitant. Un chiffre qui tombe pile.

LA PLÉIADE

La mémoire humaine occupe très peu de place : au maximum le volume d'une boîte crânienne. Et, puisque nous parlons volume, l'ensemble de ceux de la Pléiade tient, comparativement, aussi peu de place dans une grande bibliothèque que la mémoire humaine dans une boîte crânienne. Proust ou Giono, par exemple, qui, en édition originale de la NRF, remplissent allègrement

plusieurs mètres de travée, occupent, en version *Pléiade*, aussi peu de place que les rations de survie dans le paquetage d'un soldat. Mais quelles rations, quelle survie, et même, quel soldat ! Quand la Pléiade s'empare d'un auteur en le bichonnant dans le cocon d'un appareil critique préposé à la métamorphose du lecteur en érudit, pas une ligne écrite et publiée, de la première à la dernière, ne lui échappe. Si les partitions de W.A. Mozart étaient un jour éditées dans la Pléiade, on peut être assuré que tout y figurerait, de la première double croche écrite à quatre ans au dernier bémol tracé à trente-neuf ans par le divin, y compris les variantes et les inserts biographiques, représentant à eux seuls plus d'un mètre de rayon d'une édition standard. La Pléiade est un grand-père savant (et amovible), contant le savoir du monde à des disciples réunis dans un paysage éternel. La philosophie pratique du tout-en-un qui, dès l'origine, anima les éditeurs, impliquait un livre portable, imprimé sur papier bible en caractère Garamond, relié cuir, depuis près de soixante ans, chez

Babot, c'est-à-dire maniable et résistant. Curieusement, les générations successives de lecteurs ont piraté ces impératifs techniques en en faisant des objets de séduction esthétique, voire d'adoration. Les plus entichés épargnent à leurs volumes de la Pléiade la brutalité du classement alphabétique parmi les autres livres de la bibliothèque (méthode puriste), pour les regrouper en une seule masse (méthode mystique), comme la Garde impériale enchâssée dans le corps de la Grande Armée. Chaque année, ils attendent la livraison de l'Album de la Pléiade, récompense gracieuse pour tout acheteur de trois volumes, qui ajoute les joies de l'iconographie aux plaisirs de la découverte. C'est sous une belle couverture vert empire que Jacques Schiffrin, qui devait par la suite passer le flambeau à Gallimard, édita le premier volume des œuvres de Charles Baudelaire. Pour bien des auteurs, il est plus important d'entrer de son vivant à la Pléiade que de mourir à l'Académie. Certains ont fait les deux, prouvant par là que l'habit blanc de la Pléiade, comme l'habit vert de l'Académie, est porteur d'immortalité. L'académie blanche a actuellement édité trois cent cinquante volumes. Selon toute vraisemblance, elle a encore de beaux siècles devant elle.

LE COUTEAU OPINEL

Avec sa silhouette puérile, le galbe un peu grossier de son manche et sa lame imparfaite puisque oxydable, cet aïeul de près de cent ans, à la renommée pudique, a su pourtant épater l'Amérique et l'Angleterre. On le retrouve à la fois dans le rigoureux catalogue du musée d'Art moderne et dans l'excellente nomenclature des cent plus beaux objets du monde, compilée par les

référence. Le surin d'Albiez-le-Vieux (près de Saint-Jean-de-Maurienne) rend hardis les promeneurs sur les pentes raides, aide le pêcheur à la truite et le petit garçon épris d'une fille. Levier, tournevis ou cure-dent, cette arme blanche a vaincu bien des tonnes de pommes de terre et dépecé beaucoup de méchouis. Le premier, promeneur, aurait choisi le modèle n° 6 ; le second, le numéro

8, parce qu'il tient aussi dans la bouche ; le garçon aurait acheté en cachette un numéro 4 ; la ménagère, le 7, et les derniers auraient pu prendre le numéro 13, sorte de chef-d'œuvre qui sert aussi, pour ses dimensions spectaculaires (la moitié d'un mètre), d'objet d'exposition chez les couteliers.

Le *couteau fermant premier choix*, à l'emblème de la main couronnée, avait été inventé par Joseph Opinel, taillandier de son état, qui forgeait des outils de qualité pour la vallée. En 1911, le succès a déjà franchi les Alpes, et il obtient la médaille d'or à la grande exposition de Turin. Ses fils et petit-fils, Marcel, Léon et Maurice, n'ont rien changé à la fabrication des treize couteaux de 8 à 50 centimètres, dont cinq possèdent une virole bloquant la lame. On les trouvait autrefois dans les bars-tabacs, les papeteries-merceries ou auprès des colporteurs. On les trouve aujourd'hui dans les supermarchés ou au musée.

conservateurs du Victoria et Albert Museum. Comme un bol de faïence, un mouchoir de tissu ou un jambon de pays, l'Opinel, qui ne procède en rien de la technologie, a pour lui l'expérience tranquille des choses de la terre. Ajoutez à cela un rien d'influence régionale et de tradition familiale, doublez ces vertus d'une solidité sérieuse, et vous ferez d'un canif savoyard le couteau de

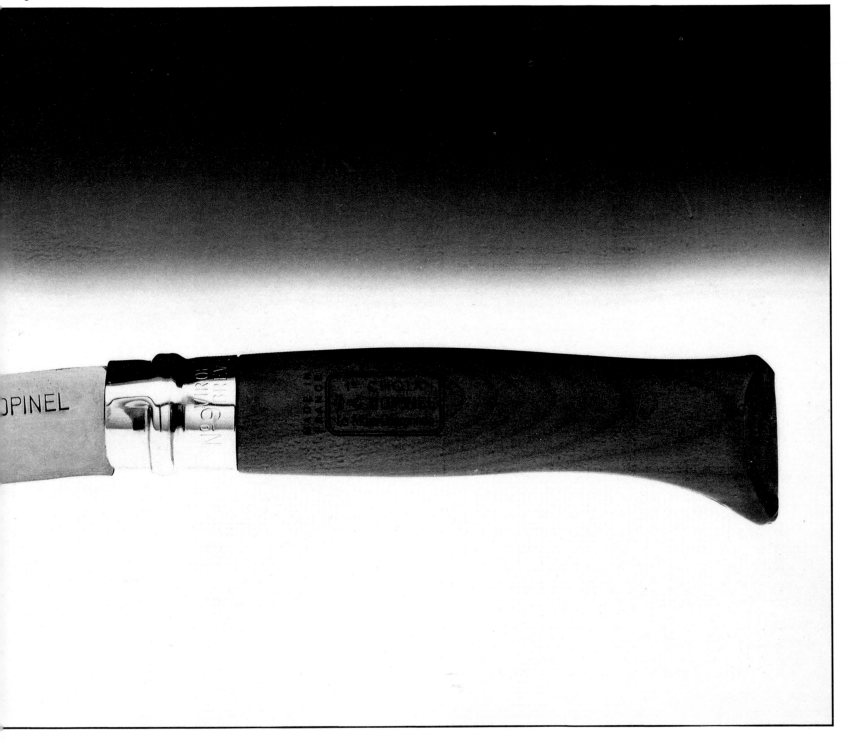

LE BAS DIM

En 1962, ce fut le premier bas sans couture : un bas Dimanche. En 1965, le mariage des bas Dimanche et de l'agence Publicis aboutit à l'ablation du « anche » et à la naissance du bas Dim. C'était déjà une note de musique. A partir de 1968 elle servit à désigner le collant. Une invention qui tombait à pic dans un univers où le port de la mini-jupe et la libéralisation des mœurs

impliquaient tout naturellement la libération des jarretelles. Après avoir inventé le bas de secours (trois bas par « paire »), le bas à l'unité (en chapelet), Dim inventait le bas en cube de carton, non plié, non repassé. A 5 F pièce, le collant revenait quatre fois moins cher qu'une paire de bas classiques : de quoi intéresser la vingtaine de millions de Françaises de plus de quinze ans, accoutumées dès l'enfance à vivre dans une civilisation où l'homme regarde les jambes de la femme avec des mines de critique d'art, et même d'essai. Avec, bien sûr, une petite préférence pour les filles de dix-huit à vingt-cinq ans. Dans le début des années 70, ce sera une musique : *tatatata tata*. Ce sera même *tatatata* pour longtemps, sinon pour toujours. Ce sera le film de William Klein avec ses cinq filles incapables de retenir leurs jupes sous la poussée d'un violent courant d'air, inspiré de Marilyn dans *Sept ans de réflexion*, et suscité par la plaisante nécessité de montrer énormément de jambes, notamment celles, interminables, de Marie-Christine Deshaye qui avait été, à quinze ans, le plus jeune mannequin de France et devenait la première incarnation de la fille Dim. Un nom (Dim), un produit (le collant), un air (*ta...*) et une image : Dim ne régnait plus

seulement en leader sur les marchés, mais entrait dans les mémoires. Certes, dans les années qui allaient suivre et au long desquelles les femmes allaient se vêtir essentiellement de blousons et de pantalons tout en s'expliquant chaudement avec les hommes sur le thème du féminisme, on allait allègrement confondre les mots sexy et sexisme, ce qui ne favorise pas nécessairement la propagation des dessous. Pas plus que les brusques changements de mode quand on fait de la production de masse. Mais l'usage et l'image de Dim étaient si forts qu'ils permirent de passer les tempêtes. En 1986, Dim sort le Dim-up, un bas sans jarretelle. C'est-à-dire qui plaît aux messieurs sans déranger les dames. Succès immédiat : il était prévu pour être porté le soir, mais il est aussi porté le jour. Une fois encore, Dim a trouvé la fille Dim. Celle-ci ne se rencontre plus parmi les quinze-vingt-cinq ans, mais aussi parmi les vingt-cinq-trente-cinq ans (et même quarante) : les gamines des années 70 n'ont pas vieilli, elles sont restées jeunes, donc Dim. La réussite de ce collant qui se laisse voir parce qu'il peut se montrer semble mystérieuse, tant on a l'impression que chaque femme qu'il habille est la seule à le porter. En fait, il n'y a pas de mystère. Dim ne vend pas des bas, Dim vend des jambes.

LE CHOCOLAT MENIER

Qu'y a-t-il de commun entre Rousseau, Benjamin Constant, Fourier ou Saint-Simon et un gâteau au chocolat, hormis le fait que la dégustation des uns comme de l'autre puisse apporter la consolation ? Le 29 floréal an III naissait Jean-Antoine Brutus Menier, fondateur d'une dynastie qui allait faire de la fève aztèque les délices des quatre heures, des fins de repas ou des anniversaires.

Menier ne dormait pas, et, fournisseur de père en fils de produits destinés aux pharmaciens, il broyait du noir, c'est-à-dire de la poudre de cacao destinée surtout à enrober les amères pilules pharmaceutiques. Pour ce faire, il achète un moulin à Noisiel (à l'emplacement actuel de Marne-la-Vallée), où il se sert de la force hydraulique pour actionner ses turbines. En 1835, devant le succès remporté par le produit qu'il vend désormais en tablettes, Jean-Antoine Brutus enveloppe celui-ci d'un papier jaune sur lequel il fait apposer les médailles obtenues aux expositions. C'est le début du monopole. Réassuré par son fils Émile, qui a vingt-sept ans, en 1853, à la mort de son père. Dès son accession aux fonctions de grand chocolatier, ce dernier fondera un empire sur les tablettes estampillées aux lettres du patronyme sucré. Capitaliste véritable, républicain convaincu, radical philanthrope, Émile-Justin fit de l'industrie comme d'autres de la poésie. Bâtissant, construisant aussi bien des châteaux ou des palais au bord du parc Monceau que des écoles, des crèches, ou des cités ouvrières. Un employé de l'usine modèle de

Noisiel avait à sa disposition des laveries, une coopérative, une caisse d'épargne, une bibliothèque et payait pour son loyer l'équivalent de deux ou trois jours de salaire mensuel. Il n'y eut d'ailleurs pas de grève avant 1936 au bord de la Marne. Maire et député, le saint-simonien s'attacha à défendre, à la Chambre, des théories avancées sur les impôts, qui lui valurent des quolibets sur les bancs de la droite et quelques distinctions honorifiques. Mais il fallait surtout protéger la marque et son image des très nombreuses copies qui couraient sur la marché. Même papier, médailles en chocolat et noms voisins — tels que Murier, Mercier, Merien, Meiner, Miener, Niemen, Némier, Merier, Menien ou même Gnemil — induisaient les ménagères en erreur. D'où la création de la célèbre affiche de Firmin Bouisset, où l'on voyait la propre fille de l'artiste, avec ses deux nattes retenues dans le dos, couvrir les murs des trente-six mille communes de France de la phrase magique : « *Méfiez-vous des contrefaçons.* » Les générations suivantes gardèrent le nom, les châteaux, les bateaux et l'usine, mais l'âme n'y était plus. En 1965, la marque médaillée fut rachetée par un groupe anglais, et le chocolat noir de ménage fait toujours de très bons gâteaux.

LE PETIT-BEURRE LU

Mlle Utile était Lorraine, M. Lefèvre était de Varennes-en-Argonne. Ils avaient émigré à Nantes, où ils fabriquaient, vu le climat, des biscuits de mer. Leur fils, le jeune Louis, rapporta d'un voyage d'études en Grande-Bretagne l'idée d'une nouvelle presse à gâteaux et l'envie d'utiliser les produits locaux. Dès 1886, à vingt-six ans, il dira, avec une vision assez claire de l'an 2000 :

« *Je crois que je viens de mettre au point un produit promis à un grand avenir.* » La recette tenait en quelques mots : du lait, du beurre salé, de la farine de froment et du sucre de canne. Devant le succès que remportaient les nouveaux petits-beurre LU, Louis Lefèvre-Utile, joignant la parole au geste, sera le premier des fabricants à mêler les artistes à la publicité en créant toute une imagerie savoureuse. Pêle-mêle, Luigi Noir, Capiello, Mucha, Benjamin Rabier, François Coppée, Cléo de Mérode, Victorien Sardou, Réjane ou Sarah Bernhardt dessinèrent, chantèrent et vantèrent le gâteau : « *Il n'y a rien de meilleur qu'un petit LU; oh si! deux petits LU* », entendait-on de la voix de celle qui incarna l'Aiglon. Affiches, calendriers, boîtes en forme de bateaux, de tramways, de malles ou de paniers, autographes de la reine Ranavalo ou d'Yvette Guilbert,

chromos, rien n'est trop beau pour emballer les biscuits de Nantes. L'auteur de la série des Chanoinesse, Musette, Paimpolaise, Paille d'or, Miarkas, Hindou, Cingalais, boudoirs, etc., remportera son plus grand succès artistique et commercial avec le phare érigé au Trocadéro pour l'Exposition de 1900 et l'unique Grand Prix décerné à la biscuiterie française. Et trois mille murs peints couvraient à la même époque les routes de France, dont le loyer était payé à leurs propriétaires en petits gâteaux. Aujourd'hui encore, certains entament les petits-beurre centenaires en commençant par les coins dorés et rebondis (Abondance de biens ne nuit pas). D'autres grignotent d'abord les côtés, festonnés de dix dents dans la largeur, de quatorze dans la longueur (Contentement passe richesse). Certains dessinent une marque ronde et régulière en partant d'un angle du parallélogramme, alors qu'un quatrième (Qui veut la fin veut les moyens) en empile deux l'un sur l'autre avant de commencer la dégustation. Des goûts et des couleurs, il ne faut pas disputer.

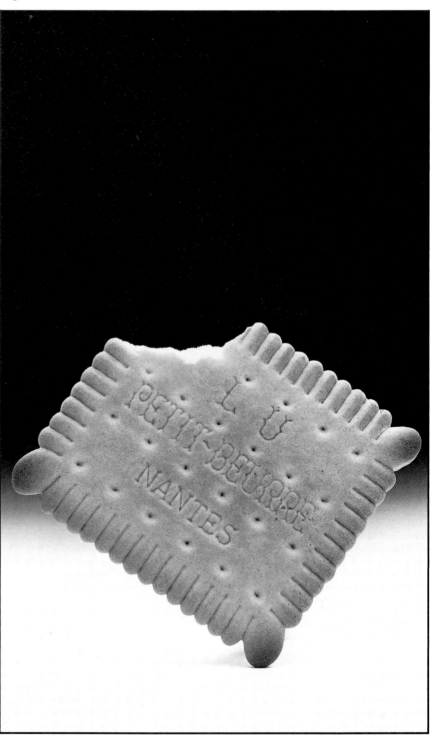

LA MOBYLETTE

1958 fut une année noire pour les fabricants de deux roues. Semblable à la prohibition, la nouvelle loi imposait le permis au-delà de 50 cm³. Les appellations se normalisèrent, et du jour au lendemain, quelque 130 000 engins se trouvèrent à vendre d'occasion. Le seul à être autorisé sans permis était le cyclomoteur, ne dépassant pas 50 km/h. Au-delà, ils s'appellaient, dans l'ordre,

vélomoteur, motocyclette ou scooter, et n'étaient désormais utilisables qu'après le passage d'un examen, ce qui réduisait l'usage des pétrolettes, en vogue dans nos campagnes. Le 30 novembre 1949 était née chez Motobécane la première Mobylette. La gracieuse bicyclette à moteur, qui a déjà trente et un descendants. De la petite usine de Pantin des débuts sont sortis tous les prototypes à deux ou à quatre temps. La plus connue, la plus empruntée, la plus solide et celle qui savait se rendre toute seule du port au bar de la Marine s'appellait l'AV 88. Bleu France, avec son cadre en tôle emboutie, elle vaut 35 950 F en 1960. Fille de MM. Benoît, Bardin et Jaulmes, elle fait honneur à ses papas. Charles Benoît était le technicien, c'était aussi celui qui, enfant, gardait les morceaux de sucre du petit déjeuner pour les revendre par boîtes entières à sa mère. Les grandes épopées reposent souvent sur des détails et anecdotes aussi touchantes. Abel Bardin était le commercial et vendait les engins à Courbevoie, à l'enseigne de Granet et Pelissier. A pédales et avec sa seule poignée de commandes, la mobylette bleue ne recèle pas moins de 5 000 pièces, demande cinq heures de main-d'œuvre et 50 kilos de matière première. L'usine a fourni depuis les débuts quelque 13 millions de « meules » à tous les facteurs, coursiers ou amateurs de sensations n'excédant pas le 50 à l'heure.

LE PARFUM CHANEL N° 5

Au commencement, il y eut le numéro 1, mais le jasmin y était trop présent. Le deuxième était tendre, un peu trop fragile, une fleur était là, on ne sait laquelle, trop timorée, c'en était fait du numéro 2. Quant au troisième, mélange des deux premiers, il semblait parfait avec ses tons d'Ylang-Ylang, mais il ne durait pas, ce fut sa perte. Entra le quatrième à l'odeur de biscuit de la

fève Tonka, il était sans surprise et sa sortie n'en fut pas une. Le numéro 5 plut à la Grande Mademoiselle Chanel, et son inventeur, Ernest Beaux, en fut soulagé. Rose, jasmin, iris, muguet, aubépine, jonquille, vétiver, patchouli, ambre et musc, cette énumération aurait de quoi faire tourner la tête aux oreilles des nez les plus délicats. Le 5 sera pourtant le plus grand des parfums fleuris, et Coco Chanel avait bien senti que celui-là, qui portait son chiffre porte-bonheur, aurait un avenir. « C'est un parfum à odeur de femme », dit-elle. Aujourd'hui, n'importe quel collégien, à qui l'on demanderait ce

que portait Marilyn Monroe pour dormir, répondrait à coup sûr : « Une goutte de Chanel n° 5 ». Si l'argent n'a pas d'odeur, depuis 1921, l'odeur du numéro 5 sent bon la réussite. A la Libération on pouvait voir devant le numéro 31 de la rue Cambon une file de G.I's s'étirer sur un demi-kilomètre. Ils voulaient rapporter chez eux le parfum de Paris. Lauren Hutton, Candice Bergen, Suzy Parker, Jean Shrimpton, Catherine Deneuve, Carole Bouquet ont en commun le même chiffre. Dépouillé, rectangulaire et de verre cristallin depuis ses origines, le flacon importe autant que l'ivresse du contenu. Il évolue imperceptiblement tous les dix ans, depuis plus de soixante ans, et dire qu'il n'était pas d'avant-garde alors serait mentir, puisqu'il l'est toujours, avec sa sobre étiquette et son bouchon quadrangulaire. Encore un digne habitant du musée d'Art moderne à New York.

LE CACHOU LAJAUNIE

Le 15 décembre 1985, au cours d'une de ces émissions où l'on parle de tout et de rien, Yves Mourousi fait projeter à François Mitterrand les trois secondes d'une publicité intitulée *la Belle de Cadix*. Trois secondes, ce n'est rien et c'est tout : le temps de repérer une jeune femme pulpeuse, dont les boucles d'oreille sont deux ravissantes petites boîtes de métal jaune et dont on

imagine, à la vue de sa majestueuse poitrine, qu'il serait tout aussi long que captivant d'y retrouver le grain de beauté d'un cachou égaré, d'un cachou Lajaunie. Grâce à cette réclame express, le célèbre losange noir prenait un coup d'éternité. Bien entendu, il est presque inutile de dire que, depuis son invention, il y a un siècle, par Léon Lajaunie, pharmacien à Toulouse, le cachou du même nom n'a pas changé. Ni dans sa composition : identique proportion de réglisse, d'iris, de cachou, de benjoin, de menthe ...Ni dans son emballage : même petite boîte de métal jaune et ronde à ouverture tournante, ainsi conçue par l'horloger Caire, de L'Isle-Jourdain, afin de pouvoir la glisser dans le gousset d'un gilet, notamment, ou dans le réticule d'une fumeuse, si l'on en juge d'après les affiches de Cappiello

représentant des dames à l'élégance et aux charmes voyants, tenant une cigarette d'une main et la petite boîte de l'autre. En somme, le poison d'un côté et l'antidote de l'autre. Sans doute, à l'époque, considérait-on déjà la tabagie comme une maladie, puisque le cachou du potard Lajaunie fut longtemps en vente exclusive en pharmacie.

En 1906, les quatre employés des établissements toulousains mirent en circulation 400000 boîtes. En 1985, leurs trente-deux successeurs en ont éparpillé 5 millions, respectant le lent processus qui exige sept jours de gestation pour tout cachou et la tradition voulant que la mise en boîte des 200 à 300 grains s'effectue à la main (une machine devrait bientôt prendre le relais de cette tradition extrêmement traditionnelle). Le cachou Lajaunie est le dernier cachou à prospérer en France. Instrument de paix sociale, le charmant losange noir n'a rien perdu de son charme ni de son avenir. Un voisin à l'haleine de sanglier pensera toujours que c'est dans le seul dessein de lui faire plaisir que vous lui tendez le goûteux petit antidote.

LA VOITURE SOLIDO

Ferdinand de Vazeilles qui, jusqu'en 1932, fabriquait des bougies Gergovia pour moteurs à explosion, est devenu fabricant d'automobiles grâce à la réclame. Voyant son fils Jean jouer avec une Gergovia munie de quatre roues, qu'il avait imaginée comme cadeau d'entreprise, le père décida de sauter le pas et de se lancer dans la construction automobile. A l'époque, pourtant,

conducteurs, impatients de prendre le volant et de créer leurs propres embouteillages sur le tapis de la salle à manger. « *Amusants, incassables, instructifs et français* », comme l'indiquait l'annonce de 1935, les Solido allaient sortir par milliers, puis par millions, des chaînes de la Fonderie de précision de Nanterre, dans cet alliage de zinc et d'aluminium baptisé zamac et susceptible de prendre toutes les formes, du patin à roulettes au canon à amorce, en passant, bien sûr, par le véhicule dans tous ses états. Jean de Vazeilles, prenant la suite de son père, fut à l'origine des séries célèbres depuis 1957, reproduisant à l'échelle 1/43 l'état du parc automobile des sociétés industrielles : la première sortie, la Jaguar type D, avec suspension, a dépassé le million d'exemplaires vendus, ce qui a de quoi décourager les constructeurs à l'échelle 1/1, même britanniques. En 1960, la gamme 300 libérait des convois de camions et de véhicules de pompiers

qui se vendent toujours comme des petits pains. En 1961 apparaît la première voiture avec portes ouvrantes : une Lancia Flaminia. La même année, la gamme 200 — véhicules militaires — permet la constitution de divisions blindées à domicile, tandis qu'en 1964, la gamme Age d'Or reproduit les grands classiques d'avant et d'après-guerre avec un luxe de détails qui n'attire plus seulement les jeunes clients. Reprise en main avec succès par Majorette en 1981 après avoir manqué disparaître — on sait les drames de la restructuration dans l'industrie automobile —, Solido a pu continuer à faire valoir le savoir-faire qui en avait fait le grand de la miniature. Portes et capot ouvrables, suspension, éclairage intérieur, phares diamant, moteur, décalcomanies exactes et réalistes, couleurs parfaites. Rien n'empêche plus tel grand commis de l'État reproduisant dans son bureau un défilé d'élégance de la série Age d'Or, ou tel général alignant ses AMX, ses Lee ou ses Tigre entre le lit de camp et le canapé, de se boucler à double tour en accrochant à sa porte un panneau : « *Interdit aux enfants* ».

la concurrence était vive, et les grandes marques — Citroën, Renault, Peugeot, Simca, Panhard, Fiat, Ford, Mercedes... — usaient déjà depuis plusieurs décennies les routes du monde industriel. Mais la marque qu'allait lancer Ferdinand était une supermarque, puisqu'elle fabriquerait à elle seule toutes les autres marques sous le nom de Solido et à destination d'un public de très jeunes

LA MOUTARDE SAVORA

Un parallélépipède brun coiffé d'un couvercle rond et rouge, étiqueté de trois notes de musique typiquement bourguignonnes : *sa*, *vo* et *ra*. L'ensemble donne un pot de moutarde Savora, l'amie des mangeurs à bouche sensible et à nez subtil. Singulièrement aromatisée, elle est censée accompagner les viandes froides blanches, mais ses vrais adeptes accommodent ce ketchup des

Burgondes à toutes les venaisons, pot-au-feu, rôti, saucisses et même côtes d'agneau. La Savora pousse au crime. Il faut dire que, avant d'arriver dans notre assiette, elle a fait du chemin : elle est allée chercher son curcuma à Madras, à Ceylan sa cannelle, à Cayenne son piment, en Indonésie sa muscade et au Canada une part de sa moutarde ; après quoi, elle a complété ses emplettes avec du vinaigre de malt, du miel « mille fleurs », du céleri, de l'ail et du girofle. Total : Sa + vo + ra, une formule magique qui, prononcée jadis autour des tables de cantines scolaires, les jours de gala, provoquait de peu avouables pugilats. Sur les rayons du commerce actuellement envahis par toutes sortes de moutardes précieuses, voire chichiteuses, elle trône sobrement dans ses habits de référence, insensible à l'érosion des modes. Il faut dire que Savora appartient à la prestigieuse écurie Amora, créée, en 1919, par les successeurs de Jean Naigeon, le plus célèbre vinaigrier de la fin du XVIIIe siècle, découvreur du verjus. Une solide écurie, en tête pour les moutardes, les cornichons, les vinaigres fins et les ketchup, et dont l'un des produits, au moins, figure dans les placards de 80 % des familles françaises. Extrêmement bourguignonne, incontestablement dijonnaise, la *Brassica jurcea*, brave fille peu exigeante poussant sur des terrains ingrats, est devenue moutarde en 1220. Le mot venait tout droit de la devise de ces hommes pressés qu'étaient les ducs de Bourgogne : « *Moult me tarde.* » La bonne duchesse Savora, elle, a tout son temps.

LA CHEMISE LACOSTE

Qu'un jeune loup accoste une poulette, un peu à cheval et légèrement vache, sans crocodile sur son torse, il risque d'être assimilé à un veau et ce serait son chant du cygne. On n'a rien sans saurien. L'arme du crocodile est en effet quasi infaillible à une terrasse, sur un court ou sur un parcours, sous la forme du polo en jersey de coton à manches courtes. Depuis 1933, elle était le

symbole et la mascotte du jeu pugnace de René Lacoste, champion de France de tennis en 1925, 1927 et 1929, champion international à Wimbledon en 1925 et 1928, et à Forest Hills en 1926 et 1927. Premier à s'être fait confectionner à Londres une tenue de sport qui n'était plus une tenue de ville, il l'imposera bientôt sur les courts et dans les tournois qui étaient plutôt collet monté. Premier aussi à avoir fait de son totem et de son nom une marque et un style, il fera de sa propre chemise un des vêtements les plus copiés au monde. Uniquement blanche jusqu'en 1951, la L 1212 habillait tous les champions, qui la trouvaient à juste titre pratique et élégante jusqu'à ce qu'ils soient payés très cher pour penser et dire le contraire. Aujourd'hui point n'est besoin de publicité, seuls quelques bas de chaises d'arbitre à Roland-Garros suffisent à rappeler l'existence des animaux qui se prononcent *alligator* outre-Atlantique et *wani* au Japon. Quelques ajustements seront nécessaires pour adapter le modèle aux enfants ou aux femmes, pour qui le dangereux reptile se trouvait mal placé. Juste à la pointe du cœur. Certains dandys les portent, comble du chic, cravatés et en ville. Certaines dorment avec (les chemises). Deux preuves d'un vrai succès.

LES ENCEINTES CABASSE

La caissière de la salle Gaveau aimait bien ce jeune garçon dont elle gardait le chien et qu'elle laissait entrer gratis après l'entracte. Il aimait la musique. Plus tard, à la fin des années 40, alors que l'appelé Georges Cabasse, l'ex-clandestin de la salle Gaveau, accomplissait son service militaire, la sono du foyer du soldat était une sorte de fricassée de décibels. Aussi construisit-il ses

premiers haut-parleurs, activité qu'il n'a plus cessé d'exercer depuis son lointain retour à la vie civile. Dans les années 50, la toute nouvelle entreprise Cabasse — où le mot d'ordre est de ne pas prendre le client pour un son, ni un son pour un autre —, met ses talents au service du cinémascope, dont l'apparition exige une adéquation du plaisir de l'oreille au plaisir de l'œil. Pas question, en effet, d'entendre Ben-Hur, Ramsès, Moïse ou Scarlett O'Hara parler avec des voix sinistrées par les techniques sonores tortionnaires du vieux cinéma. En 1958, Georges Cabasse transporte tout son monde à Brest; en 1974, une chaîne de montage est installée à Jeumont; en 1982, un « bunker » acoustique est accolé au laboratoire. Entre-temps, le succès est venu. Et même la gloire. Les premiers clients, des professionnels, ont été rejoints par le public. Au temps des haut-parleurs a succédé celui des enceintes passives et actives, dont les gammes respectives portent des noms de bateaux et d'oiseaux de mer, signe non équivoque de l'amitié du directeur

pour les océans. Si la sonorisation de la géode de La Villette est gratifiante pour l'entreprise, elle n'est que l'illustration de l'extraordinaire réputation nationale et internationale de la qualité Cabasse. De ce fait, une Cabasse est rarement la première enceinte achetée par un novice en haute-fidélité, d'autant que sa basse gamme est au niveau des moyennes gammes des autres marques. Le haut de gamme est carrément professionnel. Comme le personnel recruté par Georges Cabasse : l'un de ses collaborateurs voulant passer un examen universitaire, il a été très difficile de lui trouver un jury à sa mesure. On dit qu'il y a un son Cabasse. « *Faux* », selon Georges Cabasse, qui a la silhouette de Henri Langlois et, paraît-il, le tempérament vif du capitaine Haddock. Faux, car, « *il y a le son vrai et des sons faux* ». Cabasse fait dans le vrai, compare le son qui sort d'un instrument à celui qui sort d'une enceinte. Aussi les enregistrements manipulés et commercialisés comme des plats précuisinés passent-ils mal le cap des enceintes Cabasse. Une Cabasse ne casse pas les oreilles : elle les répare. La dernière petite (par la taille) chérie, Galiote, comme toutes ses sœurs, est garantie à vie. Même si vous tentez de la soumettre à la voix de la Castafiore.

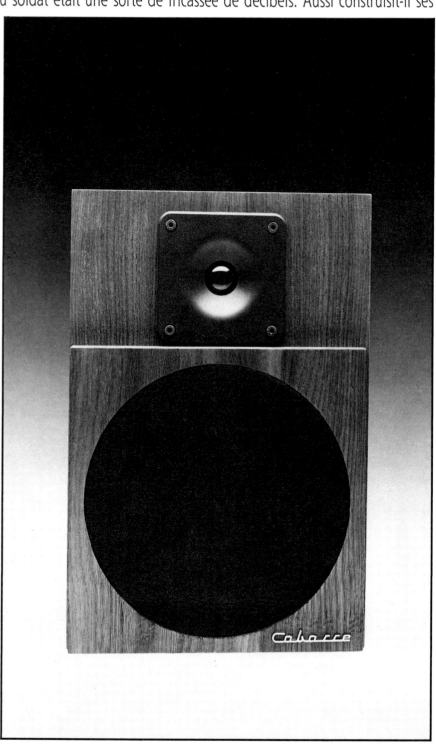

LE PETIT-SUISSE GERVAIS

Deux ans après l'arrivée de Napoléon III au pouvoir, un traité d'alliance et de coopération était signé entre un jeune commis des Halles et une fermière avisée de Villers-sur-Auchy. Cette dernière venait là de livrer à l'entreprenant Parisien au nom prédestiné, Charles Gervais, la véritable recette du petit-suisse qui lui avait été livrée par un jeune pâtre vaudois. La manifestation visible de cet

accord historique et normand se concrétisa rapidement. Charles n'était pas homme à laisser dormir une découverte propre à enchanter les plus délicats des palais. La production des petits cylindres crémeux fut organisée à la ferme, et des relais les acheminaient vers la capitale. Mais, *Ignoti nulla cupido**, si la distribution roulait toute seule, le marketing devait en faire autant, et les livreurs-cochers en blouse normande, conduisant leurs cabriolets à cheval dans les rues de Paris, se chargeaient de la promotion de leurs petits fromages. Fouette cocher, ils distribuaient hardiment les buvards et autres sacs à œufs aux crémiers séduits par cette cavalerie ponctuelle et serviable. Vedette, Bégonia, Absolu ou Pipelette connaissaient leur

tournée et s'arrêtaient tous seuls devant les magasins ou les loges des concierges, qui leur donnaient un sucre. On pouvait même régler sa montre à leur passage. Les suisses marchaient bien, très bien même, surtout à l'époque des fruits rouges. Jusqu'en 1950, les doubles-crèmes étaient vendus dans des petites caissettes en bois. Et les enfants de l'après-guerre se souviennent tous du Hula-hoop et des petites boîtes de carton humide qui contenaient leurs six jeunes helvètes. L'usage qui a pu en être fait dans toutes les cantines de France ne saurait être décrit dans un ouvrage aussi sérieux, et l'apparition des capsules de plastique, en 1966, a freiné ces terribles instincts. En 1985, noblesse oblige, le petit-suisse est devenu grand. Il couvre, sur 118 m², un mur de la rue du Renard, face à Beaubourg. En compagnie d'un chimpanzé, *Abusus non tollit usum***.

* On ne désire pas ce que l'on ne connaît pas.
** L'abus n'exclut pas l'usage.

LA CULOTTE PETIT BATEAU

Réclamée par un siècle d'inconfort quotidien, la petite culotte en coton va, après la guerre de 1914, révolutionner l'habillement des enfants, leurs jeux, leur manière de courir, de sauter à la corde ou de grimper aux arbres. Elle va aussi être adoptée par leurs mamans, qui avaient appris, à la guerre comme à la guerre, si ce n'est à remplacer les hommes, du moins à emprunter les

avantages dûs à leur genre : monter à cheval, fumer, faire du ski ou traverser les futaies en culottes. La culotte, élément essentiellement masculin avait remplacé les braies, puis les caleçons fermés, qui étaient devenus les pantalons de dentelles, enserrant jusqu'aux chevilles les jambes de Camille et Madeleine, petites filles modèles. Et pourtant, la révolution des dessous faillit bien ne pas avoir lieu, des querelles de succession agitant les familles Valton, Quinquerlet et Dupont, bonnetiers à Troyes. Ce furent les Valton qui restèrent seuls, et jusqu'à aujourd'hui, devant leurs métiers. En 1918 naissait la culotte Petit Bateau en coton blanc, sans jambes, en côtes 2 × 2, deux mailles à l'endroit, deux mailles à l'envers. Quatre boutons permettant de l'accrocher à la petite chemise assortie, ancêtre du tee-shirt. Aujourd'hui, les dessous des dessous nous apprennent qu'ils sont vendus dans quatre-vingts pays, et que la marque Tartine et Chocolat ou les luxueux vêtements pour babies de chez Dior sont troyens et affiliés au Petit Bateau. Il faut bien constater que les confortables culottes sans jambes, inspirées bien entendu de la chanson, ont, depuis près de soixante-dix ans, emballé près d'un demi-milliard de gros bêtas.

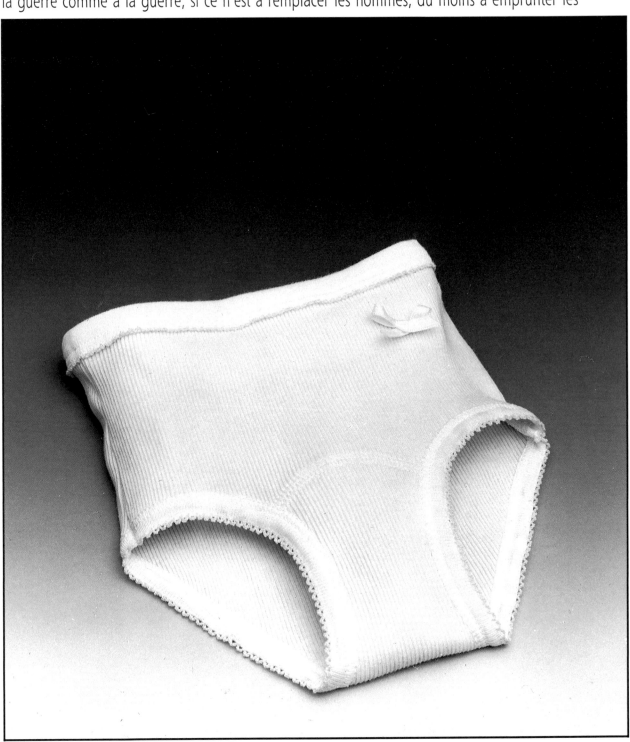

LE COGNAC COURVOISIER

Que ce soit souvenirs de grognard ou mémoires de maréchal, nous ne disposons aujourd'hui d'aucun document écrit attestant d'un penchant de l'empereur Napoléon pour la bouteille. Nulle part, il n'est fait état d'un Petit Caporal pompette à la passée nocturne des bivouacs de la Grande Armée. Nul doute pourtant que, pour des hommes qui vivaient à cheval ou dans des voitures à

suspension éreintante, qui se déplaçaient la nuit et ne dormaient pas le jour, qui fréquentaient la pluie et se baignaient dans la boue, qui se poudraient à mitraille et marchaient au canon, bref qui revenaient de bataille comme on rentre du boulot, saisir de temps à autre sa fiole de cognac pour une bonne lampée de pays charentais devait donner du cœur au corps et à l'âme. Les fournisseurs fidèles de la Cour Impériale, Emmanuel Courvoisier et Louis Gallois, auront l'honneur d'une visite de l'empereur en leurs entrepôts de Bercy, en février 1811. Mais ce sont leurs fils respectifs, Félix et Louis Jules, établis à Jarnac, qui créeront le Cognac Courvoisier. Tous les dirigeants successifs de la marque se révéleront d'excellents négociants. Mais leur meilleur vendeur fut et demeure assurément le Petit Caporal. Il y a vingt ans encore, l'Aigle ne volait plus de clocher en clocher depuis belle lurette, mais il veillait de ferme

en ferme où l'on voyait sa silhouette en redingote barrée du bicorne, peinte à même la pierre ou le crépi, regardant passer les voitures en compagnie d'une bouteille de Courvoisier. Sa meilleure auxiliaire est l'excellente Joséphine, bouteille de V.S.O.P. fine Champagne en verre satiné, qui, lancée dans les années 50, fit beaucoup pour le renom international de la marque et de l'illustre époux. Il faut bien dire que Courvoisier a mieux réussi dans ses entreprises étrangères que l'empereur. Au cours de son dernier exercice annuel, l'entreprise a vendu 1 400 000 caisses de 12 bouteilles, dont 95 % à l'étranger, les États-Unis et la Grande-Bretagne venant très largement en tête des amis du Brandy of Napoléon. En 1984, ce dernier — le brandy — a reçu la médaille d'or du « Prestige de la France », qui est la légion d'honneur des entreprises exportatrices. A Jarnac, où Courvoisier emploie 500 habitants, soit un tiers de la population active, on laisse s'écouler le temps le long des rives méandreuses de la Charente : dix à douze ans pour le V.S.O.P., vingt-cinq à trente pour le Napoléon et plus de cinquante-cinq ans pour la Grande Fine Champagne. Puis on le met en bouteille.

LA PIPE DE SAINT-CLAUDE

Hormis leur père, le premier fumeur de pipe dont se souviennent les enfants est ce grenadier de la Garde qui la couve éternellement à l'abri de sa moustache de phoque. Plus tard viennent Sherlock Holmes, le major Thompson, le commissaire Maigret et Sitting Bull, qui, lui, faisait passer à son voisin. Il est vrai qu'en Europe occidentale le calumet — dit pipe — est un

l'esprit est d'autant plus vif qu'il est au calme. Des garçons aussi différents que Holmes, Thompson, Maigret ou Sitting Bull avaient un point commun : ils contemplaient le monde en émettant des nuages de fumée. On ne l'ignore pas à Saint-Claude, dans le Jura, où il y a d'interminables forêts et de copieux hivers, donc de quoi toucher du bois. D'ailleurs, dit la chronique, « c'est parce que la montagne jurassienne ne nourrit pas son homme que les habitants se sont faits artisans ». Depuis 1857, les

meilleures pipes sont en bruyère arborescente, provenant du Maroc, de Corse et du Midi de la France. Droites ou courbes, l'amateur les choisit dans la qualité AB (premier choix) ou AC (premier choix aussi, mais de moindre longévité). Le fumeur de pipe n'est pas un homme comme les autres : il tient de l'ours, du castor, du traceur de plans et de la sentinelle. Il a toujours quelque chose dans la bouche, donc l'excuse de parler peu. Créée, en 1966, à l'image de l'Académie de la pipe de Frédéric-Guillaume Ier de Prusse, une confrérie des maîtres pipiers de Saint-Claude intronisa, cette année-là, comme premier fumeur de pipe de France, le président Edgar Faure, auquel les polisseuses de pipes étaient reconnaissantes de leur avoir obtenu le privilège d'un abattement fiscal. En contradiction avec ce que l'on exprimait plus haut, le député du Doubs n'est pas un taciturne — ce qui est finalement normal chez un homme qui sait apprécier les caractères de la bruyère.

élément tout à fait personnel de la qualité de la vie. Cette sucette fumante ne peut être mise entre toutes les mains comme l'explique une réclame de l'illustre marque Butz-Choquin, à Saint-Claude : « *La contempler, l'allumer, la sentir chaleureuse et douce dans sa main* »... La pipe est l'alliée de l'homme qui se recueille, qui songe, qui prend du recul, qui réfléchit et dont

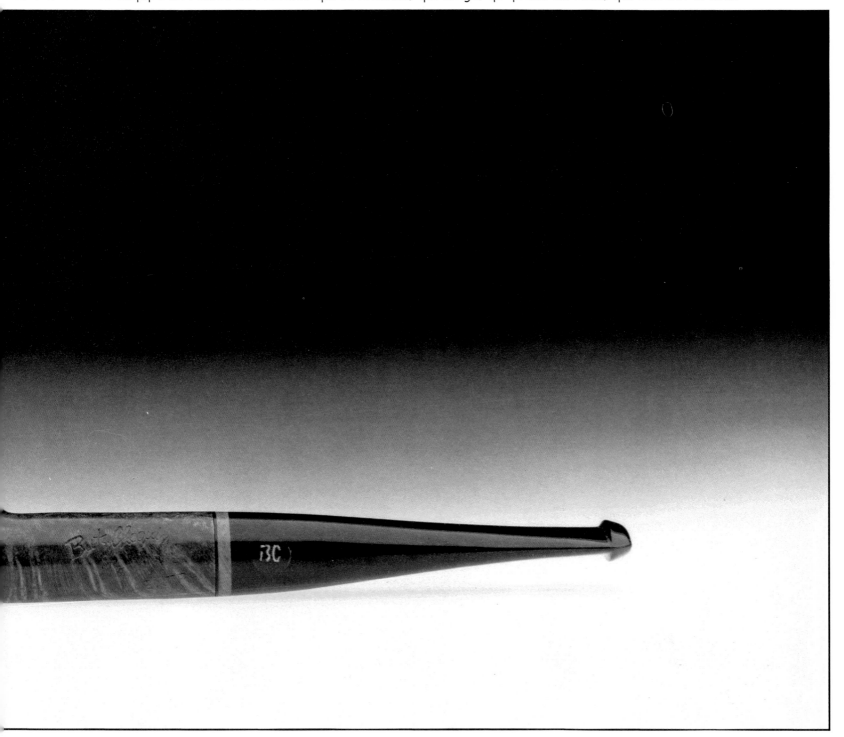

LA VACHE QUI RIT

La chevauchée de la Vache qui rit dure depuis le 16 avril 1921. Ce calembour wagnérien fut imaginé par Léon Bel, un des premiers industriels à avoir su apposer sur un produit un autre nom de marque que son patronyme et une autre image que les médailles gagnées aux concours agricoles. Ce sont précisément ce nom et ce mammifère réjoui qui vont faire la notoriété du

fromage fondu Bel. A Lons-le-Saulnier (Jura), près du Doubs, on fait du mou depuis plus de soixante ans, et la recette de cuisine indique qu'il entre dans sa composition de l'emmenthal, du gruyère, du cheddar et du gouda. Fondus. Le goût des petits triangles s'est adouci au fil des ans, pour le goût des petits amateurs — qui se serait appauvri au fil des mêmes années. L'image créée par Benjamin Rabier, en 1924, n'a que peu changé depuis lors. Le père de Gédéon savait faire rire les animaux, canards et vaches, par là même les enfants et, par là même leurs parents. Outre le fromage, la boîte ronde contenait d'autres trésors encore, tels des bons pour buvards et protège-cahiers

pour les studieux des débuts, puis des images, des porte-clés par l'intermédiaire du *Journal de Mickey*, vers les années 60, et enfin des autocollants, pour orner les portes des réfrigérateurs ou celles des chambres, marquées « entrée interdite ». Une légende tenace courait, à peu près à l'époque des porte-clés, selon laquelle les portions auraient été fabriquées à partir de raclures, de rognures de fromage, et même, les mauvaises langues ayant toutes les audaces, de mauvais fromages. Cela ne pouvait être vai. On n'aurait pas entendu alors le petit garçon du film *Paris Texas* demander à son père, sous un pont, de la Vache qui rit. En français. Elle n'aurait pas été copiée par des Vaches sérieuses. Ni vendue dans le monde entier comme *Laughing cow* ou comme *la Vaca que rie*. Et les fromageries Bel réunies n'auraient pas utilisé chaque jour le lait d'un troupeau de cent-vingt-cinq mille vaches pour fabriquer leurs produits, fondus ou non. En portion unique à ses débuts, puis par trois, par huit, douze, seize ou vingt-quatre, il n'est pas d'en-cas ou de pique-nique sérieux sans petit triangle à dépiauter. En tirant sur la languette rouge.

LE VAURIEN

Vaurien, c'est le nom d'un chien des années 50. Un de ces chiens qui ont la patte marine et ne répugnent pas à trotter sur un deck, puisque son maître, Philippe Viannay, est le fondateur de l'école de voile des Glénan. En 1952, il demande à Jean-Jacques Herbulot, jeune architecte DPLG, de concevoir un bateau pour l'initiation et l'entraînement des élèves des Glénan. Vaurien devient

le nom d'un bateau. Trente-cinq ans plus tard, l'âme du chien Vaurien hante intrépidement les baies ventées, à bord de dizaines de milliers d'exemplaires de ce petit sloop grâce auquel des générations de jeunes gens ont connu leur premier flirt avec le vent. Le Vaurien de Jean-Jacques Herbulot est donc né en 1952. Non sans avoir au préalable subi, comme l'écrit Florence Herbulot, fille de l'inventeur « *le supplice de la bouilloire et le séjour sur le balcon* ». En effet, le Vaurien est en contreplaqué. Il faut donc voir si ça marche, et ça marche. D'une longueur de 4,08 mètres, d'un poids tournant autour de 90 kilos, doté d'une surface de voilure volontairement modeste pour raisons pédagogiques, d'un safran et d'une dérive en acajou massif, le Vaurien devient le berceau des enfants de la mer. Premier voilier en contreplaqué, premier voilier fabriqué en série, il coûte à son lancement le prix de deux vélos, soit 55 000 anciens francs (aujourd'hui, à 10 000 F, il coûte à peu près le prix de trois bons vélos).

Sur les grèves fastueuses du yachting des héros fortunés, on voit soudain venir s'échouer les invraisemblables sloops des audacieux sans solde. Les yachts-clubs baissent la visière de la casquette et pointent un menton réprobateur. Mais, en 1954, 222 Vaurien ont déjà été construits, 8 500 en 1962 (38 000 en 1987) : les gueux des golfes clairs, éternellement en rappel sous la risée, s'imposent par leur nombre et par leur passion. En 1964, le Vaurien est admis au statut de série internationale groupe B de l'International Yacht Racing Union, événement comparable à l'intronisation du commissaire San Antonio au Jockey Club. A partir de 1967, l'illustre iconoclaste existe en version plastique, en version kit et, depuis quelques années déjà, en version régate. Les normes sont si strictes qu'il est impossible de biaiser ou de tricher avec la réglementation technique. Aussi, quand un Vaurien gagne une course, c'est uniquement parce qu'il a le meilleur équipage. Cet esprit de fair-play et de simplicité est bien dans la manière de Jean-Jacques Herbulot, père d'une véritable escadre de modèles de bateaux, dont le Corsaire, qui voulait ouvrir la mer à tous. La clef de la mer était bien ce voilier qui ne vaut rien et qui les vaut tous.

LE SAVON DE MARSEILLE

Si le savon de Marseille est infiniment plus connu que le savon de Strasbourg ou que celui de Brest, c'est que les régions entourant ces deux dernières villes sont exemptes d'oliviers. A Marseille, où l'on ne connaît pas ce problème, les activités connexes de l'huilerie et de la savonnerie se sont développées dès le XVIIᵉ siècle. Ainsi, à l'époque, l'ancêtre phocéenne de la mère Denis, la

mère Anaïs, se rendait-elle au lavoir avec une barre de savon vert débitée en pièces de 5 à 20 kilos, la plus grosse toilette d'une maisonnée étant alors celle du linge. On raconte que les Celtes et les Germains connaissaient déjà le savon : il ne faut pas exagérer. La mère Anaïs était une femme moderne, comparée aux farouches guerriers d'antan qui lessivaient d'une mixture à base de graisse de chèvre et de cendres de bouleau leur abondante chevelure, dans le but de la blondir. Plus modernes également furent nos ancêtres revenus des croisades avec une étrange soude végétale, la plante nommée alkali, et de nouvelles habitudes de propreté qui leur firent réintroduire l'usage du bain public, oublié depuis mille ans. A Marseille, on était savonnier comme l'on est nougatier à Montélimar ou bêtisier à Cambrai, à la nuance près que les besoins des populations en nougat et en bêtises étaient nettement moins élevés que leurs besoins en savon. Les entreprises indépendantes de savon de Marseille ont connu leur âge d'or entre 1885 et 1920. Elles avaient alors dominé les risques

dûs aux années de mauvaise récolte d'olives en adjoignant des graines oléagineuses à la fabrication de leurs savons. La lourde vapeur des cuissons s'élevait rondement des chaudrons, et les marques fleurissaient sous toutes sortes de noms, souvent inattendus : Lampe, Abat-jour, Tambourin, Corvette, et, bien entendu Le Chat. L'après-guerre a été dur pour le savon de Marseille, attaqué sur tous les fronts par d'implacables ennemis ; l'amélioration de la distribution d'eau, s'accompagnant d'une multiplication par cinq du nombre des machines à laver, donc de la propagation des détergents, et également, l'apparition des fibres nouvelles. Par ailleurs, le Français persiste à être intimidé par le savon (2,2 kilos par an) à la différence de l'Anglais (4,1 kilos par an). De plus, le grand bond en avant cosmétique a popularisé les savonnettes parfumées aux fleurs, aux épices, au chocolat, à la vanille et à l'éternelle jeunesse. La production actuelle du savon de Marseille est tombée à son niveau du XVIIIᵉ siècle. Tout est perdu ? Pas sûr. Notre bon vieux jeu de cube fondant est pur, naturel et simple, qualités essentielles. A notre avis, il attend le jour où cet affreux afflux de « bonnes » odeurs finira par ressembler à une mauvaise odeur.

LA SUCETTE PIERROT GOURMAND

Dans les familles où tout ce qui ressemblait de près ou de loin à un bonbon était interdit en vertu d'insupportables doctrines parentales et dentaires, l'arrivée de la grand-mère ou de la vieille cousine de province extirpant une boîte de douze Pé-Gé de son réticule était accueillie par la progéniture comme une colonne de secours dans un camp retranché. A l'heure où avaient

généralement lieu ces événements, les autorités ne pouvaient pas dire : « *ils vont se mettre au lit* », ou : « *ils viennent de se lever* ». Les douze bâtons parfumés à l'orange, au citron, à la framboise, à la cerise, à l'anis ou au caramel *au lait frais* constituent une fameuse aubaine : à 13,5 g l'unité, la célèbre sucette en fer de lance est un vrai ravitaillement. A l'école, où il est toujours impossible d'emporter avec soi son biberon et sa maman de la douzième aux terminales, rien de tel pour se reconstituer le moral qu'une bonne Pé-Gé, à la grande récré, en loucedé loin du surgé. Certes, l'usage de la Pé-Gé se raréfie ensuite avec l'âge : pour les garçons, l'époque du service militaire est très anti-Pé-Gé, de même que pour les filles le temps des premiers slows.

Cela dit, le pays des Grands Adultes n'est jamais totalement à l'abri d'une attaque de sucettes : la regrettée Louise de Vilmorin avouait sans honte travailler une Pierrot Gourmand à la bouche. Sans compter ceux et celles qui n'avouent pas... Il faut dire que si les fameuses sucettes remplissent parfaitement leur office de sucettes de qualité (sucre de Cuba, miel et lait frais), elles sont également servies par un nom et une image dus à l'imagination du confiseur Georges Evrard, fondateur de la marque en 1892. Il avait fait exécuter la maquette d'un pierrot assis sur un croissant de lune, séduisant Colombine par un point faible très partagé : la gourmandise. *Au Pierrot Gourmand, bonbons riches et supérieurs à tous*, telle était la promesse d'un bonheur à l'enseigne de la lune et des parfums. Portée par cet équipage, la Pé-Gé, née en 1924, s'envola bientôt pour sa tournée enchantée. Comme le dit l'impeccable slogan de Georges Evrard : « *Pierrot Gourmand, un seul roi pour tous les palais.* »

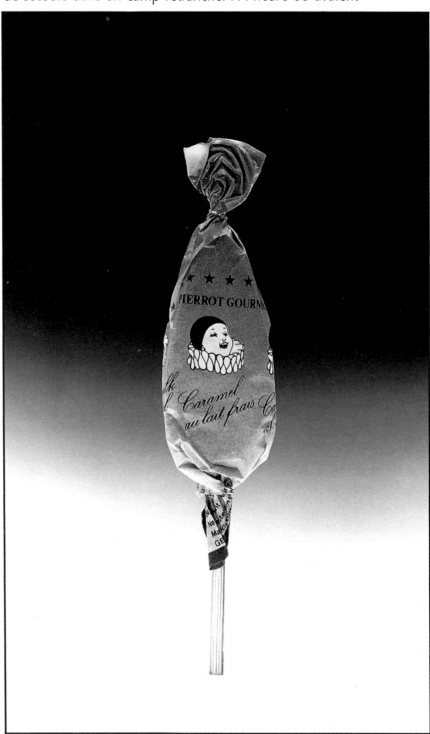

LA PARABOOT

Par sa silhouette, la Paraboot tient du chalutier, par sa texture, du phoque, ce qui lui confère un genre que l'on ne saurait qualifier de gracieux. Elle est pourtant, avec son étiquette de garantie et malgré son allure campagnarde, une chaussure essentielle, réelle et presque hyperréaliste. C'est la chaussure première manière, dans l'ordre éternel de la marche à pied.

De terrain plus que de salon, cette sorte de Jeep donne à ceux ou à celles qui la portent une démarche sauvage et écologique qui rappellerait plus John Wayne que Fred Astaire. Pas question de faire des pointes avec ces brodequins-là. Il faut soulever chaque pied, l'un après l'autre, pour avancer. Puis le redéposer. Et ce n'est pas une mince affaire. Surtout en ville, où les sentiers rocheux, les pentes boueuses ou fangeuses et les venelles escarpées ne sont pas légion. Et, puisque nous sommes au chapitre militaire, il serait opportun de rappeler que ces peu-pompeuses sont nées à Izeaux, dans l'Isère, vers 1914. Ce village, essentiellement agricole, était déjà spécialisé dans la chaussure, mais de fabrication plus rude qu'à Romans, ville voisine. Pendant l'hiver, les agriculteurs clouaient des tiges à des semelles de bois. Rudimentaire, mon cher Weston. Rémy Richard-Ponvert était

un de ceux-là, qui, après avoir été blessé, fut renvoyé avec un ordre de mission dans l'Isère, afin de réparer les chaussures de l'armée, aux semelles de cuir cloutées. Après la guerre, et de retour des États-Unis, où il découvre la mode des boots, il conçoit, en liaison avec un ingénieur en colorants, un mélange de caoutchouc résistant et souple à la fois. Le latex transite par le port de Para — l'actuel Bélém. Est née la Paraboot. Pierre succède à Rémy, et les Paraboots chaussent l'armée, les pompiers, les forts des halles ou les facteurs. Le fameux modèle Morzine, qui est le même depuis 1919 et dont la fabrication reste inchangée (double tannage, cuir travaillé côté poil et carbone mélangé au caoutchouc pour une meilleure adhérence), a voyagé en Concorde aux pieds du commandant Turcat, ou en terre Adélie, lacé par Paul-Émile Victor. Et c'est à la troisième génération, avec le petit-fils Michel, que la chaussure d'Izeaux séduit les femmes et les enfants. Peut-être l'absence de ligne, les surpiqûres impeccables et la mode de l'indémodable ont-elles conquis tous ceux qui ne voulaient plus vivre à la petite semelle.

LE CHOCO BN

Le biscuit Choco BN doit beaucoup à la quatrième heure de l'après-midi, c'est-à-dire à la poussée d'hypoglycémie collective qui transforme une salle de classe en cage aux fauves et les professeurs en naufragés. C'est que, bien après le sevrage, le biberon de quatre heures marque la plupart d'entre nous d'une trace indélébile qui fait de l'heure du goûter le contraire d'une heure creuse :

une heure qui creuse. En des périodes pourtant moins clémentes et attentives au bonheur des enfants, on l'avait déjà remarqué et les économes des établissements scolaires considéraient la distribution de tartines — beurrées ou non —, avec bloc de chocolat, moins comme une mesure humanitaire que comme un dispositif anti-émeute.
L'apparition du Choco BN dans les micro-circuits du bahut en 1956 est comparable à l'apparition du transistor. Le chapelet de Choco BN, c'est le sans-fil du goûter, l'autonomie de l'utilisateur. En fait, le Choco BN a aujourd'hui cinquante-cinq ans, car dès 1932, le biscuiterie Nantaise (qui fête ses quatre-vingt-dix ans d'âge) avait lancé son Choco Cas'Croûte — appellation pleine de charme, mais qui engendrait davantage l'idée de musette que celle de cartable. Aussi

la faveur du Choco BN sous sa nouvelle appellation fut-elle impressionnante : ce sandwich de biscuit enfermant chocolat ou vanille, prêt à l'usage, pratique, allait devenir un élément non obligatoire, mais tout aussi indispensable que la trousse ou le plumier, dans l'équipement et le ravitaillement des écoliers. Après quoi, il ne restait plus qu'à moderniser le graphisme des emballages au fil des ans, y compris l'appellation. Ainsi, en 1969, achète-t-on encore « 16 Choco BN », alors qu'ils sont devenus « 16 Goûters BN » en 1977 et sobrement « 16 BN » en 1978. Enfin, en 1986, ce qui fut jadis le bon vieux Choco Cas'Croûte est désormais : « BN, 16 Goûters fourrés », les parfums proposés étant le chocolat, l'abricot, la framboise, la vanille et la fraise.
Un goûter BN permet donc d'apporter les 400 calories nécessaires à un enfant de huit ans à quatre heures de l'après-midi, mais aussi, notamment :
– d'engager honorablement une conversation avec cette sympathique rousse du moyen lycée, assez abordable, semble-t-il, à l'heure du goûter ;
– de se rapiécer le moral dans la perspective de la présentation d'un carnet scolaire affligeant le soir même à la maison ;
– de, etc.

LE MOULIN A LÉGUMES MOULINEX

En 1932, pour faire une purée de pommes de terre dans un moulin à légumes, il suffisait de « *placer la matière à tamiser dans le récipient ; la surface hélicoïdale est animée, grâce à la manivelle, d'un mouvement rotatif. Sous cette action, la tranche supérieure de cette surface attaque la matière qui se trouve comprimée progressivement entre cette surface et le tamis conique* ». Avec ce court extrait du

sera véritablement bonne que dans un moulin à légumes. Quant au souvenir du bruit de la purée en train de se faire dans la cuisine, il s'apparente, au rayon affectif, à celui d'un hachoir à main, d'un moulin à café ou d'une bonne taloche pour celui qui aurait mis le doigt dans la confiture encore chaude. Jean Mantelet avait donc mis au point, après deux cents essais, l'outil de fer-blanc étamé, pour sa femme Fernande , elle qui battait encore les pommes de terre à

la fourchette. Et, en dehors de la fête des mères (date à laquelle l'homme achète l'outil dont il a envie pour la cuisine), les femmes ont toujours été la clientèle principale de l'artisan de Bagnolet. Celui qui vend maintenant des appareils ménagers dans cinquante-sept pays du monde a toujours voulu calculer les prix au plus bas, face à la concurrence. A sa sortie, le moulin était vendu 20 F. En 1939, l'usine d'Alençon en produisit plus de deux millions. La firme Moulin-Légumes devint Moulinex en 1956, année de l'essor d'un autre moulin, le moulin à café. L'objet de la réussite d'un homme et d'une entreprise est vendu maintenant en inox ou en plastique. Déjà au musée, mais encore aux fourneaux.

brevet déposé le 16 février 1932 à 14 h 50 à Paris, nous prenons connaissance de la libération de la femme par le presse-purée, elle qui était auparavant assujettie à des tamis manuels ou barbares, c'est-à-dire qui laissaient passer des grumeaux dans la purée. Cinquante ans plus tard, on peut aussi bien se servir du dernier robot électrique, ou ajouter de l'eau à de la poudre, la purée ne

LE ROUGE BAISER

A la cote 296 de « Je me souviens », entre la barbe à papa et les billes en terre qui se cassaient en deux, Georges Perec se souvenait du rouge à lèvres Baiser : « Le rouge qui permet le baiser. » Un symbole, une image, un slogan, deux mots clefs, et, en 1928, quelque chose de nouveau va se dessiner sur le visage des femmes. L'analyse balistique de l'impact de cette arme

formidable que représentait ce modeste bâton de carmin montre, soixante ans plus tard, avec un produit destiné à autoriser les échanges entre les hommes et les femmes, sans que ces dernières perdent rien de leur éclat, combien la question était d'importance. Après trois années de recherches dans une officine de banlieue, inspiré par une réplique entendue à l'Opéra, un chercheur photographe va créer le fameux rouge Baiser. L'homme s'appelle Paul Baudecroux ; la banlieue, Courbevoie ; l'officine est à la fois une fabrique de bougies et un élevage d'oies ; l'air fredonné était : *Et pour baiser tes lèvres roses*, de *Cavalleria rusticana* de Mascagni. Et, comme toutes les formules, celle de l'indélébilité est toujours secrète.

« Nouveau, tenace, onctueux et indélébile », indiquait la réclame. Il n'en fallait pas plus pour que la Parisienne se dirigeât vers ce fard nouveau. Après la mort de son mari, la belle Mme Baudecroux poursuivra la tâche indélébile de son mari cosmétophile, en promouvant encore et sans cesse ce produit bien français, qui donnera même son nom à un livre et à un film. En 1949, René Gruau avait dessiné, pour la marque, la célèbre femme au bandeau, élégante et mystérieuse, et — trouvaille du graphiste — aux yeux bandés. Les affiches et affichettes couvrent les rues et les pages des magazines. Les représentants parcourent la France avec de nombreux et délicats objets publicitaires, tels que les plaquettes de Rhodoïd, les sacs en papier, les cendriers et, plus étrange encore, les ramasse-monnaie. La firme familiale et courbevoisienne lance même sur le marché un noir à cils qui permet de pleurer. Mais cette idée neuve ne supplantera pas le fard tenace. Une couleur, une tendresse.

LA GAULOISE

Il est toujours difficile aux petits enfants de se faire à l'idée que l'époque gauloise est logée dans un compartiment non-fumeurs de l'histoire de France. Rien de plus naturel, en effet, que d'imaginer Brennus et Vercingétorix la pipe au bec ou des grappes de druides perchés dans les arbres vouant des odes enfumées à Teutatès. Un tel anachronisme historique tient, à notre avis, à deux

raisons. La première est que nos ancêtres les Français de la IIIe République ressemblaient furieusement à nos ancêtres les Gaulois, avec leur mine précocement chenue, leur moustache en paquet de tabac et leur œil farouche et narquois, comme semblerait le confirmer la statuaire du temps, extrêmement riche en scènes arvernes. La seconde raison, induite par la première, tient à la naissance de la Gauloise, en 1925, c'est-à-dire de ce paquet casqué, d'un bleu caporal flirtant avec le bleu horizon, œuvre du bon M. Giot, professeur d'aquarelle du directeur de la Manufacture des tabacs d'alors. En fait, la Gauloise existait déjà — mais sans casque — depuis 1910. Jusque-là — et depuis dix-huit ans — elle était, sous le nom de Hongroise, dans le peloton de tête des chouchoutes du public, où elle cohabitait avec les Élégantes et les Françaises. Mais, à la suite d'une contestation sur la propriété du nom, les Hongroises étaient devenues les Gauloises. Personne, fort heureusement, ne songea à les appeler les Romaines. En 1935, Jacno actualisa — et signa — le paquet, mais sans trahir le travail de

Maurice Giot. La Gauloise poursuivait et amplifiait une carrière modèle : elle était dans toutes les poches, on la voyait sur toutes les lèvres : en 1985, elle était produite à 33 milliards d'exemplaires, elle représentait 38% en part de marché, et elle était connue et vendue dans cent vingt pays. Les vingt tabacs d'origines diverses qui la composent lui donnent un goût sacrément corsé : la première bouffée de cette gnôle des brunes fait toujours l'effet d'un uppercut. Cela convient apparemment aux mœurs du Gaulois, pacifique mais prêt à bondir, rigolard mais ombrageux, sociable mais râleur. Des sœurs plus suaves sont entrées dans la famille — la Disque bleu, la Gauloise filtre, la Gauloise blonde — mais elle demeure, dans le langage courant, *la Gauloise bleue*. Ainsi, pour poursuivre sa carrière, se passe-t-elle de publicité (à part une seule et unique campagne en 1979) : son image lui suffit. Le cimier à crête métallique centrale, latéralement adorné d'une paire d'ailes déployées, demeure un symbole vivace. En 1968, la consommation de la Gauloise (que l'étudiant surnommait affectueusement « goldo » ou « goldu ») a fait un bond considérable. Quant à Astérix, qui oserait nier qu'il est coiffé d'un casque manufacturé par la SEITA ?

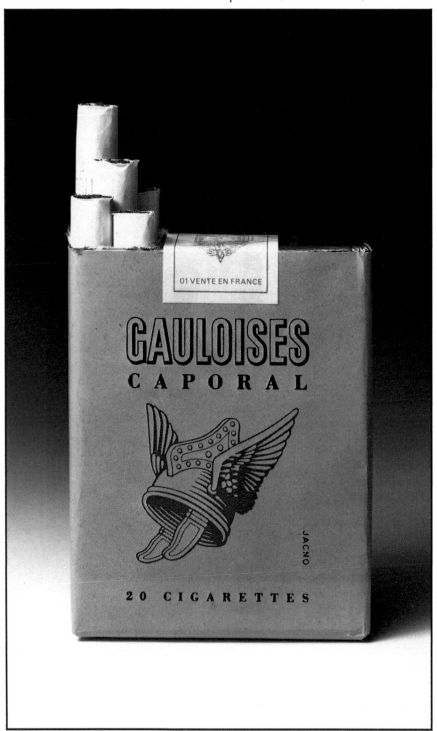

LE CIRÉ COTTEN

La mer contient une bien trop grande quantité de liquide pour que l'on puisse s'y aventurer avec des vêtements non étanches ou de fantaisie. Fabriqués en France dans une matière tenue secrète, les cirés Cotten sont conçus non par des stylistes, mais par « un homme à la mer », et faits pour durer et pour endurer. Et, même si la nouvelle vague de vêtements sortie de l'usine bretonne

de Concarneau comporte des aménagements et des accessoires nouveaux et utiles — tels la capuche flottante et réfléchissante, les harnais réglables ou la doublure en mousse —, le principe original reste le même. Les tenues jaunes, blanches ou rouges sont d'abord coupées, imperméabilisées, cousues puis soudées. L'histoire est pourtant simple : il y a vint-cinq ans, Guy Cotten, représentant en vêtements de travail, achète une machine à coudre et fonde avec sa femme Françoise la petite société qui emploie aujourd'hui cent quatre-vingt personnes, numéro 2 mondial

du suroît marin. Les cirés Cotten sont endossés par la quasi-totalité des pêcheurs français et par une très grande majorité d'hommes et de femmes qui pratiquent ce que l'on appelle, parfois à tort, la plaisance. Le sigle du petit bonhomme jaune encapuchonné a été vu sur les plus célèbres marins dans les courses les plus célèbres. Guy Cotten, qui, pour l'anecdote, n'a pris que neuf jours de vacances en neuf ans, voudrait, après le sud de l'Angleterre, conquérir la côte est des États-Unis, où l'attendent 600 000 marins-pêcheurs. Mais ces professionnels d'outre-Atlantique ont des idées bien arrêtées sur l'étanchéité : ils ne veulent aucune ouverture d'aucune sorte, ni braguette ni poche. On leur concevra donc d'élégants sacs imperméables, agrémentés de trous pour les jambes. Depuis la rue Adigeard, à Concarneau, se fabriquent des cache-tempête, des protège-grains et de véritables abris, qui résistent au tangage.

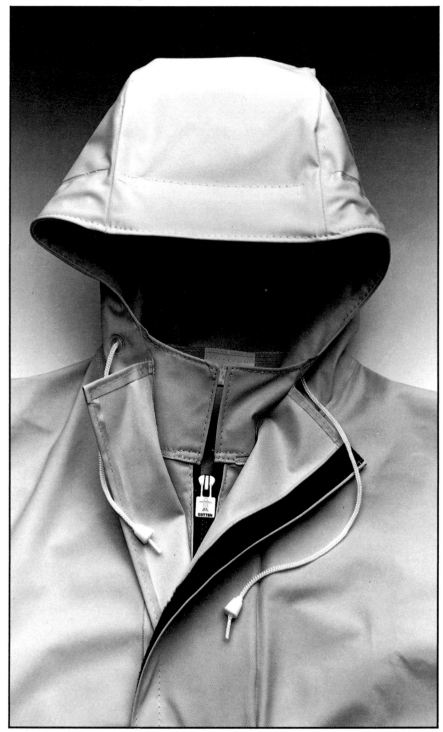

LE PAPIER JOB

La feuille est maintenue incurvée entre le pouce et l'index de la main gauche, appuyée sur le majeur. Le pouce, l'index et le majeur de la main droite viennent y déposer et y tasser la poignée de tabac adéquate, puis s'associent à leurs appendices symétriques pour rouler le cylindre blanc. C'est alors que, dans un geste bref et précis, le fumeur porte les mains à hauteur du

menton et passe une langue de lézard sur le bord gommé qu'il caresse aussitôt de l'index. La cigarette à la bouche, il range son paquet de tabac et son petit cahier de papier Job. La scène a lieu dans une tranchée de la Somme en 1916. Ou dans un champ de tournesols, dans la Drôme, en 1860. Ou bien dans une forêt d'Afrique occidentale française en 1910, à l'heure de l'absinthe. Ou encore dans une plantation indochinoise en 1930, à l'heure du Pernod. Ou enfin sur la banquette d'un autobus Renault en 1920, dans les pattes d'un contrôleur de Billancourt. C'est simple, la scène peut avoir lieu un peu partout dans le monde et dans les mains de n'importe quel Français ou Française de 1838 à nos jours. En 1838, à Perpignan où, dit la chronique, *« l'atmosphère est toute de dépense et de sensualité »*, Jean Bardou estime qu'en proposant des cahiers de papier à cigarette précoupés à ceux qui sont fatigués de les tailler eux-mêmes au ciseau ou au canif, il tient une bonne idée. C'est une bonne idée. Il s'allie avec Jacques-Zacharie Pauilhac, coursier de la malle-poste Toulouse-Figueras, en Espagne ; et, en 1842, dépose sa marque : ses initiales, J.B., séparées

par un losange. La clientèle va lire JOB. C'est elle qui créée la marque, et les Bardou changeront leur nom en Bardou-Job. Au début, avec les problèmes d'acide et de chlore du papier, de colle du bord gommé, les fumeurs ont souvent l'impression d'aspirer les forges de Vulcain. Mais Bardou et Pauilhac améliorent sans cesse leur papier, qui deviendra le vergé blanc léger internationalement recherché. D'ailleurs, pour décourager les contrefaçons, Jean Bardou a inventé une signature qui tient du labyrinthe et du jeu de piste. A dater de 1897, les dames de Job font leur apparition sur les admirables affiches des calendriers, signées Mucha, Cappiello, Maxence. Elégantes, multicolores, rêveuses, convenables et cependant un rien coquines dans le regard, car il s'agit tout de même d'un calendrier. Sait-on qui est le rouleur de JOB, tant il est multiple ? Un ouvrier, un paysan économe. Un bûcheron, un chasseur, un planteur, un forestier, loin de leurs bases. Un snob. Un modéré qui pense qu'en roulant il fumera moins. Un jeune homme de retour de Katmandou, il y a vingt ans. En réalité, le rouleur de JOB est d'abord un autonome, un responsable, un indépendant. Le cahier de JOB, c'est l'invention du kit dans sa version la plus sobre : six doigts seulement sont nécessaires pour rouler une tige.

LE YOGHOURT DANONE

Encore un produit qui doit beaucoup aux enfants, c'est-à-dire à la Faculté, aux Parents et aux Cantines Scolaires. Le yoghourt, en effet, est répertorié dans la prestigieuse catégorie « c'est bon pour la santé ». Qu'on le prononce yaourte ou yogourte, ou même yaour et yogour, il aime l'humain. Pour notre part, nous avons opté sans hésiter pour la dénomination *yoghourt*, attestée, comme

l'on sait, par les transcriptions retrouvées dans le premier dictionnaire arabo-turc de Mahmoud Al Kachgari, paru en 1701 à Tsing-Kiang. Ce qui prouve que les vertus du lait fermenté ne datent pas d'hier : Pline en fait déjà l'éloge et François Ier lui-même aurait été soigné avec succès au yoghourt. La science en ses laboratoires a depuis longtemps confirmé les propriétés digestives, diététiques et immunitaires de cet aliment au type balkanique prononcé. D'ailleurs, on en viendra peut-être à confirmer un jour l'exactitude de la légende voulant que le yoghourt soit la boisson des centenaires. En tout cas, c'est en partant, en 1908, de la constatation qu'un Bulgare moyen (gros consommateur de lacto-fermenté) fait de vieux os, qu'Élie Metchnikoff, prix Nobel et directeur de l'Institut Pasteur, met en lumière l'intérêt du yoghourt. Onze ans plus tard, Isaac Carasso, un homme d'affaires de Barcelone, s'intéresse aux conclusions de Metchnikoff et met en vente dans les pharmacies de la capitale catalane un yoghourt

qu'il baptise Danone en jouant sur le prénom de son fils Daniel. C'est ce dernier qui, en 1929, fondera à Paris, où il s'est établi, la Société parisienne du yoghourt Danone, complétée en 1932 par une usine à Levallois-Perret. Pionnier de l'agro-alimentaire, Danone le sera tant par les méthodes modernes de fabrication que par la lente mais irrésistible conquête d'un public qui, au départ, n'avait que peu d'affinité avec le goût bulgare, et d'enfants souvent méfiants envers tout ce qui est « bon pour la santé ». La méfiance n'a pas duré, comme en témoigne la publicité des années 50 : « Si tu n'es pas sage, tu seras privé de Danone. » Aujourd'hui, on ne s'en prive pas et il faut 3 000 producteurs laitiers exclusifs, 7 usines et 3 565 salariés pour répondre à la demande. Il convient de noter qu'avec les aromatisés (1953), les veloutés et les fruités (1964), et les desserts (Danette), l'entreprise a impitoyablement réduit les plus grosses poches de résistance. La consommation moyenne de yoghourt par habitant étant actuellement de 9,9 kilos par an, il faut bien admettre qu'une part sans cesse croissante de la population française s'adonne à l'usage de la petite cuiller.

LA 2 CV CITROËN

Historique et pourtant préhistorique, le prototype sorti après treize années de recherches, en 1948, des usines aux deux chevrons, fut gardé bâché, caché et le moteur plombé jusqu'à l'heure d'ouverture du Salon, le 7 octobre à 10 heures. On ne dévoile pas avant l'heure une institution, un mythe, une métaphore, un style de vie, un véhicule d'utilité publique. L'étrange machine est,

à sa sortie, déjà en tout point conforme aux exigences de Pierre-Jules Boulanger, qui avait commandé, dès 1935, à l'équipe d'André Lefebvre *« une voiture pouvant transporter deux personnes et cinquante kilos de pommes de terre à 60 km/h, en ne consommant que trois litres aux cent »* — son prix devant être trois fois moindre que celui de la traction avant. Bertoni et Muratet dessinent la TPV (toute-petite-voiture). Le projet minimal, au moteur de moto et à la carrosserie abrégée d'une toile tendue sur une armature en alu, coûte cher à réaliser. Les matériaux les plus sophistiqués sont employés pour alléger celle que l'on appelerait la « deuche ». *« Sordidement économe »*, profondément robuste et magnifiquement confortable. Après le Salon, les carnets de commandes s'emplissent, mais les usines sélectionnent les acheteurs prioritaires, au moyen d'un questionnaire personnalisé. La pénurie est là, et, en 1950, on prévoyait un délai de livraison de six ans ! Mais, bon an mal an, le curé, l'infirmière, le fermier, le facteur, le

forain, le photographe et le boulanger se croisent, dans leur scarabée de tôle ondulée, sur les vicinales, départementales ou même nationales les jours de marché, de comice, de messe ou de consultation. La voiture des campagnes va aussi gagner la ville, où Boris Vian remarquait, en 1959, que l'on se trouvait la plupart du temps derrière une 2 CV, dont le conducteur roulait toujours à gauche : *« Ils s'entraînent en ville pour les dépassages de poids lourds sur route. »* Les souvenirs familiaux ou étudiants qui se rattachent à la voiture grise, bleue ou plus tard jaune seraient ceux d'un engin extrêmement manuel et plutôt tangueur. Depuis la demi-vitre avant se détachant, à très grande vitesse, de son support caoutchouc, en passant par l'essuie-glace unique actionné par bouton-poussoir, le démarreur à tige folâtre et la capote à rouler, il y avait de quoi faire. Et, pour qui se rappelle s'être crânement mis debout à l'arrière en s'appuyant sur la barre médiane, tous cheveux au vent, en accentuant les effets de roulis ou de tangage dans les tournants ou sur les bosses, avant de s'arrêter pique-niquer en sortant sur l'herbe les sièges aux petits ressorts de caoutchouc, il y avait de la noblesse dans ce véhicule-là.

LE MOULINET MITCHELL

Ceux qui pensent que la pêche est un loisir n'ont qu'à interroger Pierrot à Saint-Uze sur son brochet de 10,5 kilos, ou les quatre millions de Français qui savent tous qu'il s'agit d'un sport. Et d'un sport de combat. Les poissons carnassiers, truites, sandres, brochets aux sept cents dents, saumons ou bars ont chacun une manière de se battre avec un hameçon, qu'il s'agisse du « saut de

l'ange », du « passage sous une péniche », du « coup de dorsale », ou plus simplement du cassage de fil. L'adjonction d'un simple levier aux moulinets traditionnels semble bien être l'arme absolue, qui fasse passer directement le brochet dans le beurre blanc, le bar dans l'oseille ou le saumon dans l'aneth, en diminuant le risque de jurons ou de déceptions trop amères en voyant s'éloigner la prise avec le nouveau leurre ou une cuillère parfaite dans la bouche. Cette babiole, le *trigger drag*, est la gâchette qui permet de ferrer, de régler la tension, de sentir les soubresauts du poisson, de le laisser filer, de doser la puissance, bref, de garder le contact avec

l'animal, même avec un fil léger. C'est la nouveauté du moulinet *full control* de Mitchell. En 1837, en accordant la concession de prise d'eau sur la rivière d'Arve, en Savoie, Charles-Albert, roi de Sardaigne, donnait le départ d'une histoire qui reviendrait à son élément un siècle et demi plus tard. Les établissements Carpano et Pons, à Cluses (roues pour montres, munitions, minuteries de compteurs, etc.) représentaient ce que l'on appelle aujourd'hui en français une holding. Rien de ce qui est petit et précis ne leur échappait. Dans le groupe, la société Mitchell — articles de pêche de qualité — connaît de belles heures, mais aussi de beaux heurts pour s'être fait doubler sur le marché américain par les Japonais. Et dire qu'on en était au vingt millionième moulinet depuis 1947 ! Le frein de combat qui entre alors dans la compétition va redresser la barre de la nouvelle et indépendante société Mitchell Sport. Les bâtis du *full control* sont fabriqués à Winzeheim, les bobines, tambours et bras à Oyonnax, et les manivelles à Saint-Claude : le french moulinet vaincra, foi d'animal.

LE RICARD

Toutes les bouteilles de Ricard contiennent du pastis, mais toutes les bouteilles de pastis ne contiennent pas du Ricard. En effet, comme l'indique en lettres rouges l'étiquette, Ricard est « *le vrai pastis de Marseille* ». Aussi, pour le boire, est-il traditionnellement nécessaire d'y adjoindre un broc jaune à la forme caractéristique marqué Ricard, contenant eau et glaçons ; ensuite

ajouter le passage d'un tramway, jaune également, de la ligne 54 si possible, cahotant sous un soleil sans concession ; enfin, sur fond sonore de percussions boulistiques accompagnées d'une chorale de cigales, réunir le tout autour d'un bar où se côtoient maillots de corps et costumes d'été dans des réminiscences de Vincent Scotto, Marcel Pagnol, Tino Rossi et Fernandel. Tous ces ingrédients étant difficiles à trouver hors les limites du grand port, Paul Ricard, le créateur, a dû les mettre à l'intérieur de sa bouteille, l'eau exceptée. Ce dosage, dénotant un fameux coup d'œil, a permis d'exporter Marseille sous forme liquide en France d'abord, dans le monde entier ensuite.

Depuis la naissance du Ricard, le 1er mars 1932, un milliard et demi de bouteilles en ont été consommées. Grandi sous le signe des congés payés, l'apéritif anisé a chassé les mythologies funèbres de l'absinthe, qui tuait l'homme rapidement. Le Ricard, lui, tue le temps, doucement. Il sent le bonbon d'enfant et il est étrange à regarder : le louchissement, dû à l'adjonction d'eau, en fait l'opaline des comptoirs. Additionné de menthe, de grenadine ou d'orgeat, il devient vert, rouge, ou crème, c'est-à-dire Perroquet, Tomate ou Mauresque, appellations qui ne naissent naturellement qu'à l'extrême sud de la Loire. Il fallait un enfant de boulanger et un enfant du pays (Sainte-Marthe-en-Provence) comme Paul Ricard pour faire d'un produit aussi parfaitement local une boisson aussi incontestablement nationale. Notez qu'il s'agit du *vrai pastis de Marseille* et non *marseillais* : si le Ricard en effet est un morceau de l'histoire de Marseille, il n'est en aucun cas un fragment d'histoire marseillaise.

L'ASPIRINE USINES DU RHÔNE

Ils ont découvert l'aspirine, et ils en ont fait un tube, premier depuis près d'un siècle au hit-parade des médicaments qui n'en ont pas l'air. Déjà mentionnée par Hippocrate (celui du serment) il y a deux mille trois cents ans, la décoction-de-saule-qui-calmait-les-douleurs fut successivement redécouverte par un pasteur anglais, le révérend Stone, ensuite analysée par Leroux, pharmacien à

Vitry-le-François, puis préparée par Charles F. Gerhardt à Montpellier et, enfin, expérimentée par Felix Hoffmann sur M. Hoffmann père, qui souffrait de rhumatismes. Seul le dernier essai eut vraiment du cachet : on était alors en 1899 et Hoffmann travaillait pour la firme Bayer. Lors du traité de Versailles, en 1918, le nom propre, Aspirine, qui provenait de : a, pour « acétyl », de spir, pour « Spirsaüre » (acide de la spirée) et de in, pour « dans le coup », tombe, en Grande-Bretagne, aux États-Unis et en France, dans le domaine public, c'est-à-dire dans le domaine privé des Usines du Rhône. A Saint-Fons, près de Lyon, les

divers gaz moutarde, vernis pour les ailes en toile des avions, explosifs ou saccharine étaient avant tout des produits destinés au front. Après la guerre, la firme va changer son fusil d'épaule, pour se consacrer au produit pour la tête, l'acide acétylsalicylique. Avec succès. Les petits tubes de verre bouchés de liège, présentés par une infirmière gracieuse mais décidée, contenaient des pilules à l'efficacité réelle puisque 1 gramme d'aspirine contient l'équivalent analgésique de 30 milligrammes de morphine. Les comprimés des UDR (Usines du Rhône) furent ensuite roulés en tubes de papier métallisé et servis en boîtes de carton. Pour un prix modeste, les douleurs et les peines, les coups divers, de soleil et même de cœur, s'effacent. Quarante mille tonnes de pastilles blanches, sous des appellations diverses, sont consommées chaque année dans le monde. En France, quarante par tête, et sans mal.

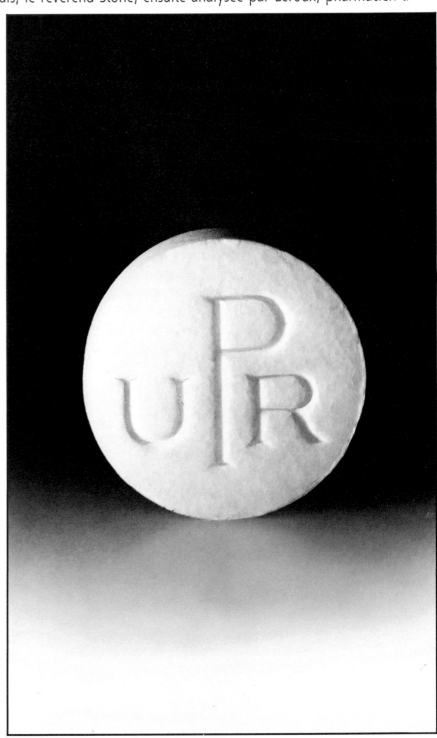

LE VERRE DURALEX

Désormais, c'est chose faite : le verre Duralex limite la casse dans le monde entier. A cause de lui, les scènes de ménage sont devenues moins spectaculaires et les manipulations maladroites moins suivies de conséquences bruyantes et funestes. Dans le domaine du gobelet, de l'assiette, du plat, du saladier et de la tasse, le verre Duralex s'est acquis une réputation qui mérite

vraiment le qualificatif de solide. La patrouille des Castors, la collectivité Travail et Loisirs, le club des Plaisanciers, l'hôpital Silence et le jeune couple fraîchement débarqué dans son premier F3, ont, dans cent trente pays, adopté ce matériel qui associe le bon marché à la longévité, que l'on retrouve dans les casernes et à bord des porte-avions. Le héros de la famille est, bien entendu, le verre Gigogne, mis au point en 1947. Quand passent les Gigognes ? Les anciens des cantines scolaires se rappellent avec émotion le geste élégant de l'habile préposé portant entre les travées une impressionnante pile de verres enchâssés dessinant un bel arc de cercle transparent et scintillant. C'est

en 1939 que les établissements Saint-Gobain, qui avaient acquis cinq ans plus tôt la flaconnerie de la maison Coty à La Chapelle-Saint-Mesmin, entreprirent leurs premiers essais de verre trempé. Une fois cuites, à 1480/1550°, puis affinées, c'est-à-dire débarrassées de leurs bulles, les matières vitrifiables sont moulées, pressées et maintenues à température constante de 700°. C'est alors qu'on les souffle avec de l'air à 20°. En vertu du principe *Dura lex, sed lex* appliqué aux lois de la physique, la « peau » du verre se rigidifie spectaculairement, formant une coquille de protection. Ce procédé a fait de Saint-Gobain le numéro un mondial du verre trempé. Il s'est imposé partout, y compris par la publicité : en 1950, on peignait la marque Duralex sur les vaches à Madagascar et sur les baobabs au Sénégal. Seuls les clowns mangeurs et casseurs d'assiettes l'ont boudé. A propos, il convient de noter que le verre Duralex est susceptible de faire avorter toute tentative d'orgie russe.

LE VIANDOX

Une fois que l'on aura connu la vie fumante de Justus Liebig (1803-1873), comment, en buvant une tasse de Viandox bouillant, un soir d'automne, après une promenade méditative dans les jardins du Luxembourg (dont les feuilles se ramassent chaque année à la pelle), ne pas songer au petit garçon de Darmstadt qui aimait tant à faire exploser le fulminate d'argent ? Après avoir

successivement fait sauter le grenier de ses parents, le laboratoire de son lycée — ce qui lui vaudra un renvoi immédiat —, l'officine du pharmacien d'Heppenheim qui avait bien voulu le prendre en apprentissage — ce qui lui vaudra un renvoi immédiat —, le jeune chimiste se rend à Paris pour y étudier enfin les véritables propriétés de son cher fulminate d'argent. Il y rencontre Gay-Lussac, se fait lui-même un nom jusqu'en Allemagne, où il revient pour enseigner, à vingt et un ans, à l'université de Greben. Et c'est là, dans une caserne proche de la faculté, qu'il découvre trois produits qui, à l'enseigne de la chirurgie, de l'agriculture et de l'état de langueur réunis, devraient lui valoir le titre disputé de bienfaiteur de

l'humanité. Son épouse, inquiète de ne pas le voir rentrer pour le dîner à la table familiale, se rend un jour au laboratoire, où elle trouve l'inventeur endormi sur la table, un mot à ses côtés indiquant : « *Le chloroforme est au point.* » Voilà pour la chirurgie. Pour l'agriculture, Justus Liebig met au point, en se promenant dans les champs voisins, un grand nombre d'engrais chimiques, qui lui vaudront le titre de baron, récompense offerte par le grand-duc de Hesse. Et, enfin, pour un de ses amis dont la fille dépérissait, le baron invente l'extrait de viande, sauve la jeune mourante et guérira plus tard de la sorte sa propre fille. C'est en 1920 que fut lancé en France un produit dérivé de cet extrait de viande, le Viandox (*ox* signifiant bœuf en anglais) utilisé dans les ménages comme dans les bars et les cafés : « *Comme chez soi* », indiquait la réclame. En 1968, Raymond Loewy redessine le flacon en deux formats, 200 grammes et 830 grammes. Avec un léger bouillon après la guerre pour cause de mauvais souvenirs, et signalé dans les cafés encore récemment, par des plaques émaillées représentant la jeune femme blonde au foulard noué soufflant sur une tasse, il est maintenant fabriqué en Belgique. S'il ne guérit plus autant, il réchauffe toujours.

LE SKI ROSSIGNOL

Dans le difficile combat entre la montagne et l'homme, celui-ci ne gagnera que s'il est chaussé des spatules adéquates. Depuis 1880, date à laquelle Sondve Nordheim, Norvégien, bien sûr, pensera à les recourber, la forme des skis n'a pas changé. Seules les matières, après le bois massif des débuts, font l'objet d'assemblages sophistiqués, de mariages cachés, de réunions secrètes ou

de compilations hardies. A l'heure où aucun téléphérique ne bruit et où les vaches habitent encore les futurs night-clubs des villages alpins, Abel Rossignol inaugure la rubrique des faits d'hiver, en 1907, en installant à Voiron la première fabrique française de skis. Le nom d'oiseau sera de très nombreuses fois champion — champion du monde, par exemple, en 1937 avec Émile Allais, qui était devenu le conseiller de la marque savoyarde. Le ski jaune rayé de marron, façon ticket de métro, est dans toutes les mémoires des skieurs aux chaussures lacées ou aux premières chaussures à crochets (1962), En 1960, la victoire de Jean Vuarnet, à Squaw Valley, confirme le nom de Rossignol, qui devient le premier mondial, à coups de lattes. Dès lors se succèdent des mots barbares et techniques pour les paires toujours

gagnantes. Après l'Allais 60, premier métallique, on glissa en Strato, en bois et fibre, en noyaux injectés, en plastique ou en métallo-plastique, etc. Le dernier-né, l'Open, a une spatule spéciale et une composition de métaux et de fibres des plus mystérieuses. Le système VAS (antivibratoire) a été créé lorsque l'on s'est aperçu que, à très grande vitesse et à une température de 0 degré, un film d'eau se formait, qui freinait les champions ou les intrépides. Ces lignes ne concernent pas, bien entendu, les contemplatifs qui aiment à descendre lentement les sentiers bordés de sapins. Les autres, ennemis des conifères, aimeront encore savoir que le nouveau-né allie le kevlar au rovinap, le zicral au phénol, la mousse de fibre de verre au carbone, en sandwichs successifs. Cela devrait leur permettre de descendre de la montage en chantant. Le 6 janvier 1911, lord Robert of Kandahar, officier de l'armée des Indes, avait créé la première compétition de ski en Autriche ; aujourd'hui, la descente est une épreuve en pleine ascencion.

LE CAMPING GAZ

Si, dans le légitime souci d'étonner votre entourage et de capter l'attention des médias, vous projetez une ascension à mains nues de l'Everest, avec pour tout vêtement des lunettes de soleil, ne commettez pas la bourde d'oublier votre nécessaire de Camping Gaz. Vous en aurez besoin. Le Camping Gaz, en effet, n'est pas seulement le dieu lare des campings, des marchés et des cuisines.

Il est aussi la lumière des pôles, la lueur des savanes, la consolation des lointains. Sans lui, l'humain est peu de chose. A tel point que, dans les forêts d'Afrique, des ethnologues ont pu voir les fameuses petites recharges bleu électrique, une fois usagées, remplies de poignées de graines séchées et reconverties en sonnailles pour accompagner les danses. Quelques mois après la chute du camp retranché de Diên Biên Phu, le 6 octobre 1954, à Lyon, à 15 h 30 très exactement, la Société DEOM dépose son premier brevet : « *L'invention vise à permettre d'établir un réchaud dont le réservoir, de très bas prix de revient, puisse être utilisé comme un emballage perdu.* » Le moins que l'on puisse dire est que, pour déposer une idée (passablement inédite) d'emballage perdu de gaz un 6 octobre 1954 à 15 h 30, il faut vraiment savoir où l'on va. L'on s'achemine, en fait,

vers le 25 janvier 1956 (année de l'affaire de Suez), quand DEOM dépose le brevet du modèle 206, dit le Bleuet, contenant 190 grammes de gaz liquide. Une étoile est née. Finis les longs acheminements par gazoduc ou canalisation. De proche en proche, de poche en poche, de panier en filet garni, la petite boîte en tôle d'acier de la Lyonnaise des gaz, du même bleu d'utilité publique que le paquet de Gauloises ou que le télégramme des Postes, investit les nationales, les vicinales et le long cours. Esthétique, grâce au design de MM. Gabriel Corlet, René Sillon et André Collomb, le bidonnet de butane en conserve s'adapte à tous les usages : il mitonne, il chauffe, il éclaire, il refroidit, il soude. Il assiste la ménagère comme le solitaire, le père tranquille comme le héros. Son très large succès international confirme l'importance historique du 6 octobre 1954 et du 25 janvier 1956. Peut-être nous enseigne-t-il également que le Français à l'étranger se passe plus difficilement de son modèle 206 que de son camembert.

LA CHICORÉE LEROUX

Bien qu'on les mélange souvent, la chicorée serait au café ce que Carnot fut à Robespierre. L'image, pour révolutionnaire qu'elle soit, ne représente pas la vertu contre le vice, mais les propriétés des uns comparées à celles des autres. Si cette racine modeste ne porte pas à l'exaltation, ceux qui la connaissent et la pratiquent au nord du 49e parallèle, savent de quoi il est question et en

approuvent déjà l'apologie. La *Cichorium intibus* pousse depuis la plus haute antiquité le long des fossés, des bois et des clairières, et se retrouve ensuite, par exemple sous le nom de chicorée Leroux, dans de hauts sachets de couleur brune agrémentés de feuilles de lierre, après avoir été séchée, torréfiée, coupée en morceaux et réduite en grains. A en croire des hygiénistes aussi distingués que les Drs et Prs Schmiedeberg, Winckel, Leclerc, Stettner, Green, Menfredi, Bortoluzgi, Matthiolus ou Ducamp, non seulement elle ne nuit pas à l'homme (fût-il une femme ou un bébé), mais encore elle est la potion par excellence. Du haut jusqu'en bas, la chicorée dispense ses bienfaits sans parcimonie. Cœur, globules, estomac, foie, qu'elle

« *resserre et retient dans sa dignité et dans sa force* » (Pr Matthiolus), reins ou système nerveux, rien de ce qui est vital ne lui est étranger. Pour cette raison, par seaux entiers, on en donne aux vaches qui sont sur le point de vêler. Son goût pour la chicorée fut fatal à Madame Henriette d'Angleterre, épouse du duc d'Orléans. C'est dans le verre qu'elle prenait chaque soir qu'on aurait versé le poison qui devait la tuer. Aristophane, Pline l'Ancien, Horace, Charlemagne et Napoléon ont tous chanté la plante aux grandes fleurs bleues, dont la culture française représenterait, un jour de 1987, 38 % de la production mondiale. Depuis Orchies, Nord, la maison Leroux, producteurs de chicorée de père en fils depuis 1858, fait parvenir ce que l'on appelle aux États-Unis le *french coffee* dans les cinq continents. Et si, d'aventure, ou de passage dans le Nord, on vous propose « *une jatte ed' café* », soyez assurés qu'on l'aura coupé de chicorée. Pour votre plaisir.

LE STYLO BIC CRISTAL

Diriger une entreprise qui vend douze millions de stylos à bille par jour dans le monde, auxquels se joignent des briquets et des rasoirs jetables, équivaut à mener un cirque à trois pistes ou un gouvernement. La très édifiante et secrète histoire de Marcel Bich, qui commercialisa en France le stylo à bille (Bic) montre encore, si cela restait à prouver, que l'opiniâtreté est une des mères de la

s'avèrent vite inutiles. Ils resserviront pourtant en 1947 lorsqu'on leur commandera des stylos à bille, comme ceux inventés par Reynolds en 1880 et apportés par les Américains à la Libération. Jusque-là, la bille ne tournait pas rond et les stylos écrivaient mal ou fuyaient. Les tours sont alors sortis de leurs housses et servent à sertir les nouvelles billes, ajustées à la pointe. Refusé à l'école par les durs

de la plume jusqu'en 1965, le stylo habile gagna d'abord les enfants et les cruciverbistes, les mamans faisant, elles, leurs comptes au crayon et les papas rapportant chez eux des stylos publicitaires. Sucés, mâchés jusqu'à se couvrir d'encre par les filles, sarbacannés par les garçons, les petits tubes de plastique transparent valaient 0,50 francs en 1950, et 1,20 francs en 1986, soit une variation de 2,4 — le ticket de métro ayant dans le même temps pris gaillardement ses 19,6 points d'augmentation. Et pourtant, il a pris des galons. Avec sa pointe au carbure de tungstène (résistance), ses exemplaires haut de gamme (luxe), ses nouvelles cartouches à pompe (pour écrire en l'air), ou devenu effaçable (discrétion), ce qui n'était il y a trente-cinq ans qu'une pâle copie représente aujourd'hui le tiers du marché mondial de l'écriture. Et, pour mémoire, on dit que Khrouchtchev en voyage en France aurait même vanté l'instrument au général de Gaulle.

réussite, que le meilleur n'est pas toujours le plus cher, et que le commerce se fait au jour le jour. Après avoir acquis en 1945 à Clichy, impasse des Cailloux, un local dont la toiture fuyait, sans machines et sans ouvriers, Marcel Bich et son compagnon Edouard se mettent à fabriquer des stylos pour Waterman et acquièrent pour ce faire des tours de précision, suisses, qui

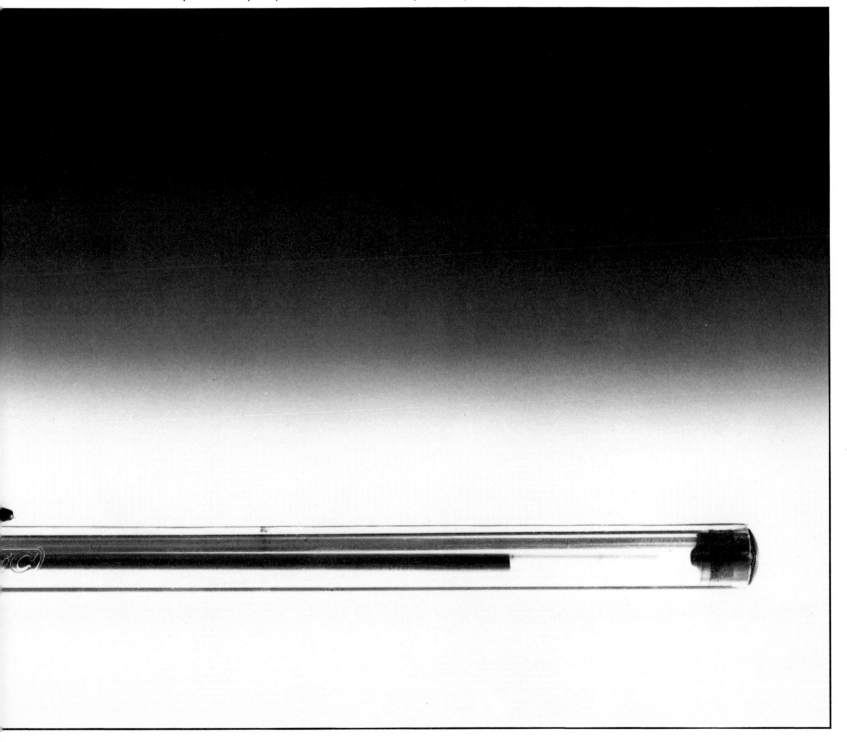

LES ANNEAUX DE CARTIER

C'était en 1923, au temps des trois Cartier. Louis, Pierre, Jacques, les enfants d'Alfred, les descendants de Pierre, le fondateur, soixante-seize ans plus tôt, de la dynastie, l'ancien grognard de l'Empire qui confectionnait des poires à poudre et sculptait des crosses de fusil. Ils confirmaient et amplifiaient la réputation de la maison du 13, rue de la Paix, qui avait fourni en joyaux les

courtisanes et les reines, les banquiers et les maharadjah, les saltimbanques et les puissants. Louis, l'aîné, était fort beau, charmeur et secret. Homme d'affaires doublé d'un créatif, il dessinait mal, mais ses idées valaient de l'or. Ou du diamant. Ou de l'émeraude. Ou du temps. Déjà, en 1904, il avait inventé pour Santos-Dumont, le valeureux et mondain pionnier de l'aéronautique, la première montre-bracelet de l'histoire, toujours éditée sous le nom de l'illustre aéronaute. Louis aurait fort bien pu s'en tenir là. Mais en cette année 1923, il imagine une bague faite de trois anneaux enlacés, l'un d'or rouge (additionné de cuivre), l'autre d'or blanc (additionné de zinc), le dernier d'or jaune (additionné d'argent)... Il offre l'un des premiers exemplaires à Jean Cocteau qui en commande aussitôt un second pour Raymond Radiguet, qui corrigeait les épreuves

du *Bal du comte d'Orgel* et n'avait plus que quelques mois à vivre. Symbole des trois frères Cartier (qui s'aimaient en vérité d'assez loin) ou des anneaux de Saturne (thèse Cocteau) ? Toujours est-il que la fameuse bague devient très vite « les Anneaux de Cartier », et le bijou le plus vendu au 13 de la rue de la Paix, modèle fin comme modèle large. Cette curieuse alliance qui fait ménage à trois est le cadeau des amours naissantes et des amours-passion, snobant, pour beaucoup moins cher, les bagues de fiançailles ou de mariage. A des centaines de milliers d'exemplaires, elle disperse ses trois couleurs à travers le monde entier sur des petits doigts féminins dont chacun sait que la circonférence moyenne tourne autour de 45 à 46 millimètres. Cocteau, qui sera le dixième académicien à confier la réalisation de son épée à Cartier, écrivait de Louis : « Cartier, *qui fait tenir, magicien subtil, de la lune en morceau sur du soleil en fil.* » Quant à l'auteur du *Fil de l'épée*, un nommé Charles de Gaulle, c'est le 17 juin 1940 qu'il rédigea à Londres l'appel du 18. Dans le bureau de Cartier.

LA CHARENTAISE

Au soir tombé, au fond du pavillon, l'homme chausse ses lunettes, sa pipe et ses pantoufles. La daube mitonne (ne pas oublier d'ajouter un zeste d'orange séchée), et le monde tourne encore. Un peu moins fort. Le chien n'est pas loin, et le bonheur non plus, qui tient à si peu de chose. Les chaussons, par exemple, sont les mêmes que ceux que portaient le père de l'homme et aussi

son grand-père. Ce sont des charentaises. Mais peut-on imaginer ce qu'il serait advenu si ces parangons du confort chez soi avaient été créés dans un autre département que la Charente ? Un peuple entier serait allé chercher son journal et aurait ensuite ouvert les volets chaussé de varaises, de drômaises ou d'yonnaises ? Impensable, à en croire les récents prospectus distribués dans l'empire du Soleil-Levant, expliquant, avec une imagination venue de loin, que ces chaussons étaient fabriqués, à l'origine, avec la laine des moutons qu'élevaient les aristocrates français venus se réfugier en Charente pour fuir la Révolution. Croyons plutôt à la véritable légende des socques, qui, depuis Louis XIV, gantent de feutre et de laine les pieds les plus rustiques comme les plus délicats. Asexuée (elle convient aussi bien à l'homme qu'à la femme), avec sa languette sur le dessus (couvrant l'avant-pied), si la charentaise, comme la plupart des choses égales,

marche toujours par pair, la droite est semblable à la gauche et permet ainsi de permuter ses pantoufles après que le devant a subi une usure raisonnable par l'orteil (droit ou gauche). En 1850, l'histoire charentaise connaît une véritable révolution avec l'apparition de la semelle de cuir, permettant ainsi à cet objet d'intérieur de sortir vers la cour, le jardin ou même la rue. En 1933, alors qu'Albert Lebrun s'occupe de la France, la semelle de nos charentaises sera désormais caoutchoutée et, de glissante, la démarche du pantouflard deviendra moelleuse et souple. Si le président actuel « se fiche de la cohabitation comme de sa dernière pantoufle », une récente étude de marcher montre le renouveau de la pantouflerie française, qui, luttant contre l'invasion extrême-orientale, produit plus de soixante millions de paires par an : une paire par tête, comme pour les brosses à dents. Avec de nouvelles impressions — Mickey ou effigies d'hommes d'État, flanelle ou broderies luxueuses —, la Charente exporte ses confortables produits en Italie, en Allemagne ou en Grande-Bretagne, où l'on dit même que la princesse de Galles aurait commandé une collection complète pour sa royale famille.

LE TICKET DE MÉTRO

Un ésitériophile est, comme son nom l'indique, un maniaque. Mais, comme son nom ne l'indique pas, nous pouvons signaler qu'il est plutôt sympathique et qu'il collectionne de petits bouts de carton de 66 millimètres de long sur 30 millimètres de large. Il est, en effet, bourré de tickets et, plus particulièrement de tickets de métro. Essentiellement Parisiens et assez retraités,

ses compagnons et lui savent tout des tailles, couleurs, codes mystérieux et formes des trous de tous les titres de transport depuis la création du réseau souterrain. Si vous en rencontriez un par hasard, entre Campo-Formio et Corentin-Cariou, il vous apprendrait peut-être que les fameux petits trous mesuraient 4 millimètres de diamètre, de 1911 à 1943, et qu'ils avaient grimpé à 6 millimètres après 1943 ; que les premières classes ont été supprimées pour un an, en 1947, et que le billet a subi trente-huit augmentations depuis ses débuts, date à laquelle il valait 0,15 F (il ne vous ferait pas l'affront

de vous signaler qu'il est maintenant à 4,70 F). Toutes choses charmantes et d'égal intérêt. Et si, par surcroît, il était résolument tourné vers l'avenir, ce qui ne devrait faire aucun doute chez un tel passionné, il vous annoncerait, sans barguigner, que le modeste coupon jaune actuel contient, sur sa désormais célèbre bande marron, l'équivalent de quatre pages d'organigrammes et que deux cents tonnes de cartonnette sont utilisées chaque année dans sa capitale. Urbain Ier, roi des transports en commun, règne sur le sous-sol depuis le 19 juillet 1900. Son royaume a trois cent soixante-douze stations, dont certaines, balnéaires, puisqu'il n'y a pas moins de huit traversées de la Seine sur ses lignes. Il tient en très haute estime les familles nombreuses et les mutilés, ainsi que les utilisateurs réguliers, auxquels il donne droit à des certificats généralement plus colorés. Le petit bout de carton qu'Yves Montand avait placé sur son pare-brise lors du *Salaire de la peur* ne lui aura pas porté chance, c'était le ticket-choc. Il avait pourtant le goût et la couleur de Paris.

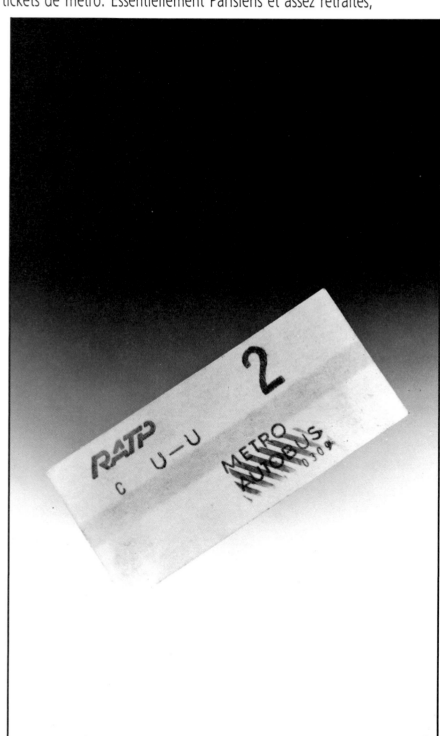

LA PEINTURE RIPOLIN

Ripolin, c'est le Dorémi du solfège des couleurs murales. Pour naître, cette peinture n'a eu besoin que de quatre fées. Un inventeur, en la personne du Dr Riep, un chimiste néerlandais qui poussa son *eurêka* en 1888 et, un an plus tard, s'associa avec la maison Lefranc à Paris. Ripolin vient de Riep + olin. Olin est une référence soit à la composition à l'huile de lin (au lin), soit aux

deux dernières syllabes du prénom de Mme Riep : Caroline. La question reste ouverte. Mais il n'y a aucun doute sur l'apparition des trois autres fées, les peintres en blouse blanche, coiffés de canotiers, qui, depuis leur enfantement il y a plus de quatre-vingts ans des œuvres de l'affichiste Vavasseur, ont été les principaux vendeurs de la célèbre peinture. S'appellent-ils Riri, Polo et Lino ? Pourquoi deux d'entre eux sont-ils moustachus et l'autre barbu ? On l'ignore, mais on les a vus partout. Sur les murs de France, sur les boîtes de peinture, différemment traités selon le dessinateur auquel on les a confiés ; y compris dans les dessins de satire politique où ils sont un ingrédient indispensable. Sur un buvard publicitaire, on les voit à la montagne, toujours en blanc et canotier, emprunter un téléphérique

(rouge Ripolin) et admirant le Mont-Blanc qu'ils « *ne peuvent s'empêcher de comparer au magnifique blanc spécial qu'ils préparent avec amour pour les réfrigérateurs Bendix* ». Dans les années 70, ils ont disparu. Ils sont revenus tout récemment : sur les boîtes où ils figurent à nouveau, les ventes des trois premiers mois de 1987 équivalent à celles des douze mois de 1986. On vous le disait : ce sont les meilleurs vendeurs. C'est normal : en France, le port du canotier est réservé à Maurice Chevalier et aux bonshommes Ripolin. Quant au Ripolin lui-même, il est réservé aux peintres du dimanche, mais en bâtiment. Pas tous, cependant. En 1982, la directrice du musée Picasso d'Antibes écrivait à Ripolin pour demander à la société un nuancier de peintures glycérophtaliques, faisant état de ce que « *Mme Suzy Delburgo, chef de recherches au laboratoire des musées de France, a constaté que dans les peintures de Picasso réalisées en 1946 au musée d'Antibes, les douze couleurs utilisées se retrouvaient dans le nuancier Ripolin* ». Qui pouvaient bien être les deux types en canotier qui peignaient dans le dos de Picasso ?

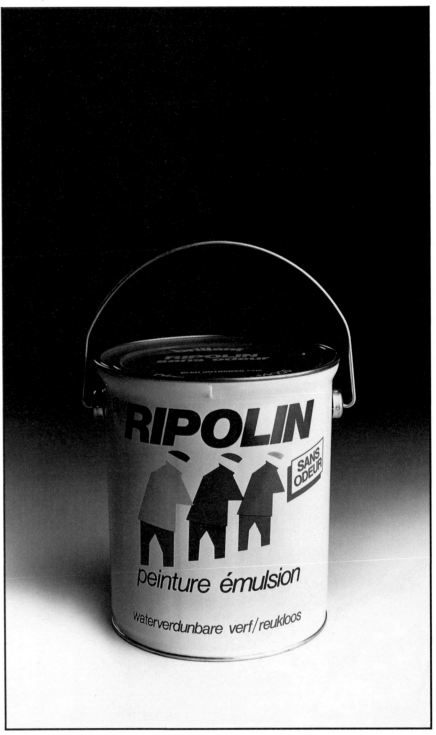

LE QUE SAIS-JE ?

Que sais-je ? A cette question vertigineuse, il existerait à l'heure actuelle 2 386 réponses, sous forme d'opuscules de 17,5 centimètres de long et 11,5 centimètres de large. En pleine guerre, en 1941, et sans papier, Paul Angoulvent décide et entreprend de ranimer la petite flamme tremblante de la connaissance, en créant la collection Que Sais-Je, point d'interrogation.

Les trois premiers titres *(Histoire de la biologie, De l'atome à l'étoile, les Certitudes du hasard)* montrent la direction vers laquelle soufflera le vent et la boussole dessinée sur la couverture indique le chemin qui éloigne l'homme qui sait, du néant. Les caractères, le dessin des couvertures ainsi que le nombre de pages n'ont pas changé depuis quarante-six ans. Les savants, les spécialistes, les scientifiques ou les professeurs, qu'ils se nomment Piaget, Fourastié, Grimal, Le Goff, Escarpit ou Le Roy Ladurie se sont tous pliés à la gymnastique qui consistait à ramasser leur savoir sur 128 pages dactylographiées, sans ratures et avec une marge de 5 centimètres. *La Guerre* (n° 577), *la Violence* (n° 2251), *l'Astronomie sans télescope* (n° 13) ou *le Zoroastrisme* (n° 2008) représentent très exactement le même volume, le même nombre de signes que *le Merveilleux dans la littérature française du Moyen Âge* (n° 1938) et *Mithra et le mithriacisme* (n° 1929). Les titres de l'encyclopédie en neuf couleurs servent à la fois l'appétit des chercheurs et la soif des étudiants, mais aussi la curiosité des intéressés eux-mêmes, à savoir *les Technocrates* (n° 881), *les Académiciens* (n° 2322), *les Acteurs* (n° 2177), *les Allergiques* (n° 1201), *les Bourgeois* (n° 269), *les Gendarmes* (n° 2143), *les Obèses* (n° 994), *les Tsiganes* (n° 580) ou *les Fous* (n° 1761). A l'appel du savoir, tout le monde est présent. Aujourd'hui, quatre personnes forment l'équipe chargée de répondre à la grave question, à raison de cinq titres par mois. Certains (comme leurs auteurs) sont épuisés, d'autres sont réactualisés, plusieurs ont été traduits en 38 langues et l'ouvrage le plus vendu depuis les débuts porte le numéro 300, c'est : *le Marxisme*. Celui qui, par hasard *(le Loisir* n° 1871) aurait lu les 305 408 pages de cette collection modeste, sérieuse et utile, serait sans doute amené à répondre à une autre question : « *Où vais-je ?* »

L'ESPADRILLE

Chaque année, l'arrivée des beaux jours s'accompagne inexorablement d'une profusion de sandales à toit ouvrant dégorgeant une cargaison d'orteils. L'espadrille classique à chausson de coton monocolore et à semelle de chanvre tressé — en provenance exclusive du delta du Gange et du Brahmapoutre — sauve le pied du désastre : elle est utile, élégante, attachante et personnelle.

Faite à la main et présentant un « pied unique », c'est-à-dire ni droite ni gauche, chaque espadrille s'adapte à son propriétaire. Du fait de cette capacité d'adaptation, il convient de la prendre une pointure en dessous de sa propre pointure. Après quoi, une paire d'espadrilles équivalant à peu près au prix de quelques livres de poche, on hésitera moins à choisir plusieurs coloris d'un même modèle. On évitera bien entendu de les porter avec chaussettes ou en babouche, et l'on prendra soin d'en changer dès qu'un gros orteil aura réussi à passer au travers. Sur la surface lisse d'un plancher ou d'un dallage comme sur l'asphalte ou la pierre dont elle amortit la dureté, l'espadrille donne une démarche de chat, faite de souplesse et de silence. Les pieds, aérés et tenus en permanence, éprouveront le contact de la semelle de corde comme un agréable massage confirmant au fil des jours que l'espadrille est un bienfait progressant pas à pas. Picasso ayant souvent été photographié en espadrilles, on a pu croire que celles-ci étaient essentiellement destinées aux artistes peintres, et, par extension, aux écrivains ou aux

comédiens du festival d'Avignon, avant de rencontrer la faveur des estivaliers. En réalité, l'espadrille est largement antérieure au cubisme : elle chausse déjà au XIIIe siècle les fantassins du roi d'Aragon venus porter secours aux Cathares. On la voit mal, d'ailleurs, chausser la cavalerie : elle se tient aux pieds des humbles. Vers 1850, quand elle émerge au titre de phénomène économique et social de son terroir basco-béarnais, elle part de Mauléon, sa capitale de la province de la Soule, pour aller chausser les mineurs du Nord et de l'Est. Après avoir connu son âge d'or de 1900 à 1918, elle souffrira donc de la récession des mines et, après 1962, de la perte de sa clientèle d'Algérie. Il reste actuellement treize fabricants d'espadrilles en France, dont cinq à Mauléon, parmi lesquels le principal : Etchandy. Ils en produisent dix millions de paires par an, dont quatre à l'exportation, mais doivent se battre durement contre la concurrence espagnole, et surtout chinoise. Nous pronostiquons pour notre part une victoire de notre espadrille, tout simplement parce qu'elle est belle, éphémère et indéfiniment renouvelable, comme une saison.

LE VÉLO GITANE

Si on l'avait surnommé le Gitan, ce n'était pas parce qu'il portait une boucle à l'oreille, un foulard autour du cou et une mèche noire sur l'œil. Seulement, à force de le voir aller et venir sans cesse par le canton et même au-delà, les gens de Machecoul, Loire-Atlantique, avaient fini par surnommer Marcel Brunelière le Gitan. Aussi, en 1925, quand il prit la décision de créer sa

percheron ou de char à bœufs. La marque Gitane prospéra ainsi honnêtement et régionalement. En 1946, c'est à partir de problèmes insurmontables d'approvisionnement qu'elle prit son essor : à dater de cette année-là, Marcel Brunelière devint un constructeur à part entière en fabriquant ses propres cycles. Constructeur, il lui fallait une écurie : en 1948, c'est le lancement de l'équipe Gitane-Hutchinson. A partir

de là, la marque va se lancer à la conquête des cols, des contre la montre et gagner les étapes de la gloire, tandis que les selles Gitane accueilleront les postérieurs les plus illustres : Rudi Altig, Raphaël Geminiani, André Darigade, Roger Rivière, Jacques Anquetil, Bernard Hinault, Greg Lemon, Laurent Fignon... Marcel Brunelière, dit le Gitan, s'est retiré en 1970, mais deux cents employés poursuivent à Machecoul l'œuvre entreprise, elle-même étoffée de deux filiales, l'une à Augsbourg (RFA), l'autre à Olney (Illinois). Mais Gitane n'est pas seulement un vélo de sport. Il existe aussi en version flânerie, par exemple *Carrousel* pour les messieurs, et l'élégant *Cité* pour les dames. Rien de tel qu'une promenade à vélo à deux en rase campagne, tant il est vrai que s'aimer, ce n'est pas pédaler l'un vers l'autre, mais pédaler dans la même direction.

propre marque de grossiste-monteur de vélos, il choisit de l'appeler Gitane. Etre grossiste-monteur consistait à assembler des cycles dont le cadre et les accessoires étaient fabriqués et achetés à Saint-Etienne, puis à les revendre à des détaillants régionaux. Une bonne affaire quand on sait que la bicyclette avait considérablement élargi le rayon d'action du campagnard jusque-là limité à portée de

LE POÊLE GODIN

Apprenti serrurier à onze ans et demi, le petit Godin devient compagnon et entreprend son tour de France qui le ramènera dans le Nord, au bord de l'Oise, où il crée et met à profit les fondements du chauffage domestique et hygiénique. En 1858, Jean-Baptiste Godin fonde à Guise, sur les principes de Fourier et de Godin réunis, le Familistère qui ne sera dissout qu'en 1968. Les

principes étant, pêle-mêle : le salut par le travail, l'abri par le logement, la santé par la lumière, la liberté par le bâti ou le renouveau par l'entreprise et par le progrès social. Sur ces bases-là, on édifie, à deux pas de la fonderie, des nourriceries, écoles, théâtres, jardins d'agrément, épiceries, buvettes, porcheries ou mausolées. L'habitat, le travail et les loisirs étant ainsi étroitement mêlés dans un grandiose urbanisme moral. En 1914, l'usine aux poêles ne compte pas moins de 4 000 produits référencés destinés à améliorer le confort du foyer. Quincaillerie, fers à repasser, mobilier et appareils de chauffe sont fondus dans l'entrain. Mais, avant tout, le député, maire de Guise, et l'auteur de le Gouvernement, ce qu'il a été,

ce *qu'il doit être et le vrai socialisme en action* ou de *Ni impôts ni emprunts*, avait conçu une source de chaleur qui ferait encore florès un siècle plus tard et jusqu'aux Etats-Unis. Jusqu'alors fabriqués en tôle, les nouveaux calorifères hygiéniques connurent très vite un chaleureux succès. Aujourd'hui, celui qu'on appelle le petit Godin a gardé sa séculaire carrosserie. Il est maintenant en fonte émaillée et dégage une chaleur de 6500 W ; chargé de bois ou de charbon le soir à vingt-deux heures, il chauffera jusqu'à huit heures le lendemain matin, grâce à une étanchéité digne d'un sous-marin. Les quatre millions de familles qui se chauffent à l'heure actuelle au charbon le recommandent chaudement, qu'il soit sous sa forme désuète mais efficace, ou plus récente sous le nom de « colonial ». En en-cas, en appoint ou en plat principal, dans une hutte, une caravane de cirque ou en appartement, considéré à froid, cet ustensile ne manque pas d'énergie.

LE CARRÉ HERMÈS

On ne sait si le succès des fameux carrés de soie Hermès tient au prestige de la maison mère, à leur dessin dans le plus pur style classique, à l'assemblage étudié des couleurs, au poids de l'objet qui les apparenterait plus au drapeau qu'à une fine mousseline, ou à l'ensemble même qui provoque à chaque heure du jour et de l'année un attroupement au rayon du carré du faubourg Saint-

Honoré, sur quatre ou cinq rangées bien serrées d'acheteuses ou d'acheteurs japonais, américains ou même français. Depuis *Omnibus et Dames blanches*, millésime 1937, huit cent vingt modèles du foulard BCBG (bien carré bien grand) ont été créés et imprimés à plat, à Lyon. Les dessinateurs ne se trouvent pas sous le pas de n'importe quel cheval, qui réalisent tels quels les motifs équestres, champêtres ou cinégétiques sur 90 centimètres de large. Sont exclues d'emblée, par superstition, les représentations de ciseaux, de fleurs ou d'animaux, qui piquent. Il n'existe pas davantage de carré consacré au football, à la pétanque ou aux dominos : ce seraient peut-être des carrés, ce ne seraient plus des Hermès. Dans l'honorable maison, on avance au pas de la calèche : il faut deux ans avant qu'un projet de *twill* de soie de 75 grammes ne voie le jour. Au moment du derby de Noël, il se vend un carré toutes les vingt secondes, chaque cliente en ayant fait déplier et replier six au préalable et en moyenne. Les favoris étant, depuis la création, *Ex-libris* (1946) ou *Brides de gala* (1957). Noué bien en avant sur le menton comme la reine d'Angleterre, ou dans le cou à la Grace Kelly, il ne s'accroche plus guère à l'anse du sac du même nom. Trop, c'est trop ! Quoi qu'il en soit, avec ses six millions d'exemplaires vendus à ce jour, le carré tourne rond.

LE SYNTHOL

Il existe dans la langue française un petit nom charmant, légèrement enfantin et un tantinet désuet, composé de deux syllabes. Il se rapporte aux maux doux, ceux dont on peut parler, c'est le mot bobo. Faux mouvements, petits excès sportifs, éraflures, bricolages ou piqûres légères, voilà les vrais bobos. Ne nécessitant pas l'intervention du corps médical, ils requièrent juste le

soutien moral de la proche famille ou des vieux amis. Parmi eux, on peut, à coup sûr et répété, sortir de l'armoire à pharmacie, du placard de la cuisine ou même de la trousse à outils le plus malin des bénins : le Synthol. Pour toutes ces interventions, le remède tient de la potion magique. Son odeur de menthol, de cédrat et de géranium est déjà un effluve de salut. Et une friction légère ou plus soutenue du célèbre baume du docteur Roger, son découvreur en 1912, *« fait du bien là où cela fait mal »*. Mais la bouteille de verre, qui s'est plastifiée en 1978, au liquide ambré, contient aussi et surtout un médicament. On peut d'ailleurs lire les indications et la posologie par transparence au dos

de l'étiquette. On y apprend que les enfants de moins de trente mois n'ont pas droit au miracle de la pharmacopée familiale. Tous ceux qui s'oignent, de Yannick Noah à Marlène Jobert en passant par vous et moi, aimeront à savoir que depuis sa naissance à Orléans, jusqu'à son rachat en 1975 par une importante firme américaine, le Synthol a coulé une vie douce et heureuse. D'un strict point de vue terre à terre qui est celui de la Sécurité sociale, le produit fut d'abord remboursé, pour être ensuite déremboursé en 1980, manipulation interne à usage externe, qui permettait d'augmenter un prix dit bloqué. Mais la grande révolution est pour aujourd'hui, où est lancée une campagne pour promouvoir les deux nouveautés : le gel et le spray. Gel qu'on nous raconte avoir vu apporté sur un plateau dans un hôtel du Japon aux visiteurs aux pieds endoloris par la visite d'un trop vaste temple.

LA CHAISE MULLCA 510

Sur ses genoux, une Mullca 510 peut accueillir un écolier ou plusieurs Mullca 510. Dans les années 50 et 60, les armatures et les pieds de la Mullca 510 sont de couleur vert métallique, tandis que le siège et le dossier sont de contre-plaqué galbé clair. Pour être entassable dans un coin de classe ou sous le préau de l'école, la Mullca 510 doit être de forte constitution. Elle doit l'être

également parce qu'en cas d'absence de l'autorité, il peut arriver que la Mullca 510 serve de projectile, de bouclier ou de fortin. Rien n'est plus impressionnant qu'un enchevêtrement de Mullca 510 intactes. Il faut dire que la Mullca 510 a de l'expérience. Elle ressemble beaucoup à ses mères et grand-mères fabriquées avant-guerre par la Compagnie parisienne d'ameublement, dont le directeur commercial Gaston Cavaillon, va, en 1947, fonder avec dix employés la S.A.R.L. Mullca, celle-là même qui, le 28 août 1950 à 15 h 40 à Paris, déposera le brevet de la Mullca 510. Au fait, pourquoi Mullca ? Parce qu'un certain M. Müller avait des fonds et les avait confiés à son ami M. Cavaillon, qui, lui, avait l'idée d'une chaise. Müller + Cavaillon = Mullca. Durant les vingt années suivantes, la Mullca 510 fera l'objet d'un nouveau brevet, en 1964, et de multiples améliorations techniques. Mais elle conserve sa

ligne élancée, légère, la sobriété de son dessin. Elle accroît cette robustesse qui lui confère une longévité exceptionnelle. L'Education nationale doit donc beaucoup à la Mullca 510 qui, elle-même, en doit autant à l'U.G.A.P., l'Union des groupements d'achats publics, longtemps détentrice du monopole de la fourniture aux établissements scolaires. Depuis 1978, la Mullca 510 existe en plusieurs coloris et essaime dans les équipements collectifs. La Mullca 510 ne plaît pas à tout le monde. Aux écoliers parfois, tant qu'elle n'est pas pour eux passée au stade du souvenir. Au député Eugène Claudius-Petit, qui, à l'Assemblée nationale, la qualifia imprudemment de « *chaise la plus laide du monde* ». En 1985, le styliste Terence Conrad commandait pour Habitat une Mullca 510 en noir satiné mat, destinée à servir de chaise de salon. Diffusée à 12 millions d'exemplaires depuis sa commercialisation en 1955, la Mullca 510 a non seulement accueilli des générations de postérieurs alphabétisés, mais elle est également reconnue comme l'un des rares témoignages du design français d'il y a trente ans. La Mullca 510 mérite les palmes académiques.

LE VERRE INAO

Le verre INAO n'est pas encore aussi connu dans la catégorie verres que l'Opinel dans la catégorie couteaux ou le Noilly Prat dans la catégorie vermouths. Pourtant, d'ici une à deux décennies, tout le monde sera étonné de voir que tout le monde connaît le verre INAO. C'est déjà chose faite pour les professionnels et les amateurs de vin depuis une vingtaine d'années. En 1968, un

groupe d'œnologues français, réunis à Villefranche-sur-Saône, mit au point, à la demande de l'Institut national des appellations d'origine (INAO), un verre permettant de goûter sur une base égale tous les vins, qu'ils soient de Bordeaux ou de Bourgogne, de Champagne ou de Californie. Le résultat de leurs travaux fut un verre à pied en forme d'œuf allongé de 155 millimètres de haut, de 65 millimètres de diamètre de paraison et de 46 millimètres de diamètre de col, agréé à l'unanimité comme verre étalon par les experts de l'ISO (International Standard Organisation) réunis à Ankara. Le verre INAO était officiellement reconnu. La panoplie des accessoires nécessaires à la dégustation d'un vin se compose généralement de deux yeux, d'une bouche et d'un nez. Les

yeux servent à repérer la couleur du vin et sa robe : c'est pourquoi avec une teneur en plomb de 9%, le verre INAO présente toutes les qualités de transparence à l'observation et d'adhérence à la paroi permettant d'en déterminer la fluidité. La bouche sert à reconnaître le chaud du froid et les saveurs (sucré, salé, acide, doux); à part quoi, elle est un instrument plutôt rustique. Le bord très fin et arrondi du verre INAO permet de réduire au maximum la différence tactile entre la matière du verre et la liquidité du vin. L'instrument essentiel de mesure d'un vin est le nez, capable de discerner de trois cents à quatre cents arômes différents. En matière d'œnologie, un enrhumé est un aveugle du goût. Il ne peut éprouver le fameux « effet rétronasal » qui ouvre les portes du royaume de la vigne et des larges commentaires. Faussement ingénu, délibérément banal, discrètement étrange avec son profil d'œuf allongé captant tous les arômes à hauteur de la rencontre du col et de la narine, paisiblement ouvragé par les cristalleries de Vannes-le-Châtel (Meurthe-et-Moselle), le verre INAO ressemble benoîtement à toutes les histoires d'amour : on s'en passe parfaitement jusqu'à la première rencontre.

LE SAVON CADUM

Ignoré et confiné jusqu'alors dans les nurseries et les limbes protectrices des jupes des nounous, un être nouveau va naître aux yeux du monde au début du XXᵉ siècle : le bébé. Il aura même un nom, c'est le bébé Cadum. Bouclé, replet, joufflu, le bébé hausse une épaule et rit de se voir à l'air et même en l'air, peint sur les murs laissés libres par le diable de la ouate thermogène,

l'écolière Lu, les frères Ripolin ou le détective masqué. Mais s'il est ainsi mis en avant, c'est à sa peau que l'on en veut. Le *savon pour la toilette et pour le bain*, créé en 1912, donne ou préserve, selon l'emphase et la date de la réclame, au teint sa jeunesse. S'en rapproche le teint anglais, dit là-bas de pêche et de crème, dû à la pluie selon la légende, mais davantage attribuable à une station prolongée et heureuse dans l'enfance. Les qualités propres du savon de toilette Cadum sont inchangées depuis soixante-quinze ans ; seule l'adjonction d'huile d'amandes douces confère au petit coussin lavant un peu plus de cette douceur vantée par les bébés pour lesquels on inventa les concours de beauté. Les gloires primées et à plat ventre sur des peaux de bêtes sont aujourd'hui sexagénaires et inspectent elles-mêmes ou eux-mêmes leurs petits-enfants derrière

les oreilles au sortir du bain. C'est en 1907 qu'un publicitaire, américain et donc fortuné, fut guéri d'un eczéma rebelle par une pommade au cade préparée par un pharmacien parisien, Louis Nathan. Michaël Winburn acheta la formule et installa à Courbevoie des ateliers qui continuèrent à fabriquer le produit jusqu'en 1968. Le succès des tubes amena la nouvelle société à imaginer le savon assorti, Cadum, lancé à l'américaine avec le dessin de l'affichiste Machils. Le modèle en aurait été le fils du directeur commercial, Charlie Michaelis, qui deviendra manager de combats de boxe. En 1952, la firme fusionne avec Palmolive et devient Colgate-Palmolive. Malgré le peu d'enthousiasme des Français pour l'hydrothérapie, le groupe peut aligner, depuis ses débuts, quelque 3 milliards 639 286 732 savons, et en considérant qu'une savonnette, perdue ou non au fond de la baignoire, en représente une cinquantaine, voilà quelque 150 milliards de bains. C'est tout de même du propre.

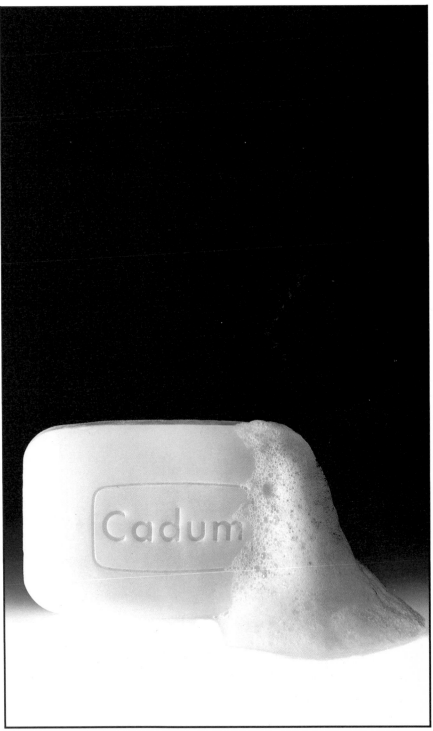

L'ÉPINGLE DE SÛRETÉ BOHIN

Il est indéniable que les Celtes des débuts de l'âge du fer et les Latins de l'âge du *peplum* l'ont utilisée sous la forme prémonitoire et élégante de la fibule ou de la *spinula*. Il semblerait également que l'Américain Walter Hunt en ait, en 1849, déterminé le principe moderne. Mais on nous permettra de penser, avec une mauvaise foi qui reste à prouver, qu'il ne s'agissait que

d'un siècle, a multiplié en milliards les besoins de notre espèce en épingles de sûreté ? En 1868, Benjamin Bohin avait regroupé plusieurs ateliers campagnards d'aiguilliers et d'épingliers établis à L'Aigle, un gros bourg de l'Orne, tenant également marché aux percherons et aux bestiaux. Depuis, l'entreprise Bohin n'a cessé de produire des aiguilles, des épingles et des articles métalliques de papeterie. Il existe deux sortes d'épingles de sûreté : l'épingle à ressort et l'épingle à boule. Chacune est composée d'un culot, ou fermoir, ou protège-pointe, et d'un tronçon double dont l'une des extrémités, acérée, vient clore le dispositif dans le culot. Le tronçon de l'épingle à ressort, en acier doux, exécute sur lui-même un tour complet — c'est le ressort — avant de repartir en sens opposé. L'épingle à ressort est affectée à tous les usages. Le tronçon de l'épingle à boule, qualité « corde à piano », effectue son demi-tour en épingle à cheveux, la petite boule creuse de laiton maintenant la pression sur la boucle. L'épingle à boule, qui est exclusivement fabriquée en France, a beaucoup

servi la layette et le pansement, le ressort ayant tendance à accrocher la laine ou le fil. L'épingle à boucle courbe, en forme de haricot, évite toute piqûre pour certains emmaillotements ou pansements délicats. Quant à la petite épingle à ressort de laiton doré, elle est utilisée pour fixer « des *éléments de garniture au vêtement* ». Appelées aussi épingles à nourrice ou épingles anglaises — l'Angleterre victorienne a exporté une bonne part de sa production de nannies — les épingles de sûreté viennent au secours du célibataire mâle qui ne sait pas recoudre un bouton, et du clochard, qui s'en passe. Les sauvages guerriers punks s'en percent les oreilles et les médaillés y accrochent leurs distinctions. Les infirmières les manient avec une efficacité et une tendresse génératrices de bien des idylles, à l'heure tant attendue du pansement du blessé. Le nourrisson, enfin, quelles que soient sa condition présente et ses convictions futures, ne peut se passer du modeste dispositif qui, entre le bain et le biberon, met fin à l'emmaillotage. Ainsi a-t-elle épinglé le général de Gaulle et le président Mitterrand à leurs débuts. Féminine, discrète et dévouée, l'épingle de sûreté est un élément fort du matrimoine national.

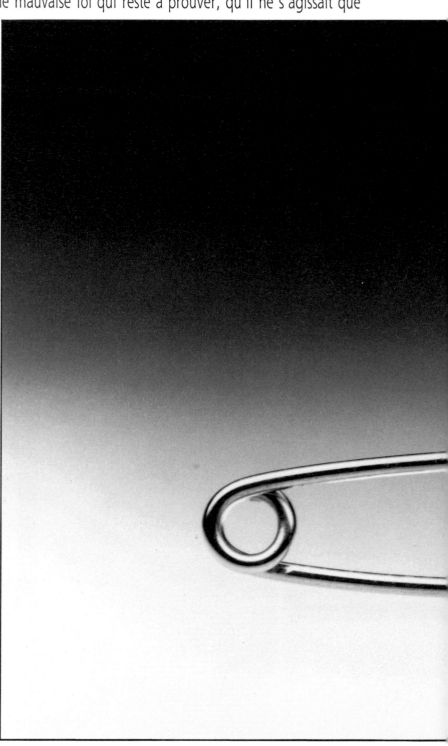

d'imitations anticipées de la première épingle de sûreté avec « protège-pointe » sortie, en 1890, d'une machine automatique inventée par Benjamin Bohin. Jusque-là, toutes les épingles de sûreté se faisaient à la main. Sans l'invention de cette machine, comment la production de l'humble outil domestique aurait-elle pu suivre le spectaculaire bond démographique qui, en moins

LE QUART PERRIER

« *Docteur Perrier, I presume ?* » St John Harmsworth s'incline légèrement devant son hôte qui lui rend cordialement son salut. C'est en 1903 à Vergèze dans le Gard, à dix-sept kilomètres de Nîmes, et la rencontre était inévitable. Louis Perrier est médecin. Il a aussi été maire de Nîmes. Il est également l'inventeur d'un indicateur électrique pour suivre la marche des trains, dont il a vendu

le procédé aux Allemands. Enfin et surtout, il est propriétaire de la « Société des Eaux Minérales, Boissons et Produits Hygiéniques de Vergèze », où jaillit une eau gazeuse dont on sait, de source sûre évidemment, que le légionnaire romain de la Narbonnaise s'y est jadis désaltéré. Louis Perrier a grandement besoin d'un acheteur important qui confirmerait son succès. Son visiteur est jeune, élégant, britannique. Frère de lord Northcliff et de lord Rotherwere, possesseurs respectifs du *Daily Mail* et du *Daily Telegraph*, il désire, comme tout héritier intelligent, faire quelque chose. Il achète la société du Dr Perrier, et, par amitié, baptise la source du nom de ce dernier. Il garde l'étiquette au logo inchangé depuis l'époque de Napoléon III et sur laquelle on lit encore : *Fournisseurs brevetés de sa Majesté le feu roi d'Angleterre*. Enfin, il invente la forme en poire de la bouteille, inspirée de ses battes de gymnastique. Si, dans l'Empire de Sa Très Gracieuse Majesté, officiers

et administrateurs s'accommodent de l'eau rare, saumâtre et croupie en la faisant bouillir pour le thé, l'apparition du Perrier sera une vraie bonne vieille nouvelle pour les buveurs de whisky. Les premières bouteilles vertes livrées si loin s'ouvrirent dans un concert de galops de polo, de frappes de cricket et de services de tennis. Perrier était servi par des boys et bu par des gentlemen. Ces débuts lointains expliquent pour partie que Perrier, redevenu français après la Seconde Guerre mondiale, exporte plus de la moitié de sa production . Même s'il existe en quatre dimensions , Perrier voyage d'abord en quart. Ce quart qui versait des bulles si rondes, si vives, si agressives sur la tête du vainqueur d'étape au Tour de France et qui fouette la soif sans ménagement : le champagne des eaux de table, en effet, est plus un complice du bien-vivre qu'un adjuvant des neurasthénies digestives. Il chasse vigoureusement le spleen. Des archéologues martiens, découvrant dans un nombre respectable de millions d'années un quart Perrier intact, pourraient reconstituer tout un pan de l'art de vivre d'une société enfouie. Avec un peu de chance, ils auraient même le son : pschitt...

LA SALOPETTE ADOLPHE LAFONT

En y regardant bien, la cotte à bretelles Adolphe Lafont possède des bretelles avec élastiques (boucles brevetées et amovibles), une poche bavette sur le devant avec deux fermetures en diagonale et une poche crayon en son milieu ainsi que deux poches latérales. Dans le dos, une poche revolver avec fermeture à glissière, une poche-mètre et un porte-marteau. C'est un bleu de

travail. Le bleu est le bleu dit Bugatti, et le travail est manuel, artisanal. Le vêtement de semaine des électriciens, plombiers ou chauffeurs de poids lourds s'appelle aussi salopette. De sale et de « hoppe » ou huppe, oiseau connu pour sa saleté. Mais le cambouis ou la graisse, taches nobles, sont le signe que les médecins des tuyaux, des canalisations ou des conduits sont allés y voir de plus près. Le plus souvent, avec le modèle 406 en moleskine mercerisée, croisé mercerisé ou gabardine mercerisée, né en 1954 à Lyon. En 1844, Guizot est Premier ministre, et la loi interdisant aux enfants de moins de huit ans de travailler vient d'être votée. S'ouvrent alors à Lyon, au

25 de la grand-rue Guillotière, les établissements Adolphe Lafont, où sont vendus des « vêtements confectionnés ». En 1896, le petit-fils d'Adolphe Lafont, le jeune Adolphe Lafont, qui voulait être médecin, devient chef de famille et prend en charge le magasin dans lequel il vendra les vêtements de travail cousus par lui et sur lesquels il appose son nom et sa marque, déposée. D'usine de teinture en usine de tissage, la société s'étend jusqu'à fabriquer ce tissu nouveau et encore réservé aux « pros » : le velours côtelé. Vêtant jusqu'à aujourd'hui tous les corps de métiers de tenues rigoureuses, résistantes et strictes, le groupe a vu avec surprise, en 1975, sa salopette (la 406) reteinte de couleurs chatoyantes, s'arracher aux États-Unis dans des magasins aussi élégants que Bergdof et Goodman. Victime du même glissement de sens que lorsque les costumes de velours ou de coutil des peintres ou des maçons avaient frappé quelques années auparavant, en France, les porteurs de stylos, la salopette d'Adolphe se portait désormais le soir à New York et même dans les cocktails. Et on l'appelle là-bas « l'Éléphant » à la lecture de l'étiquette A. Lafont. Une gloire pachydermique.

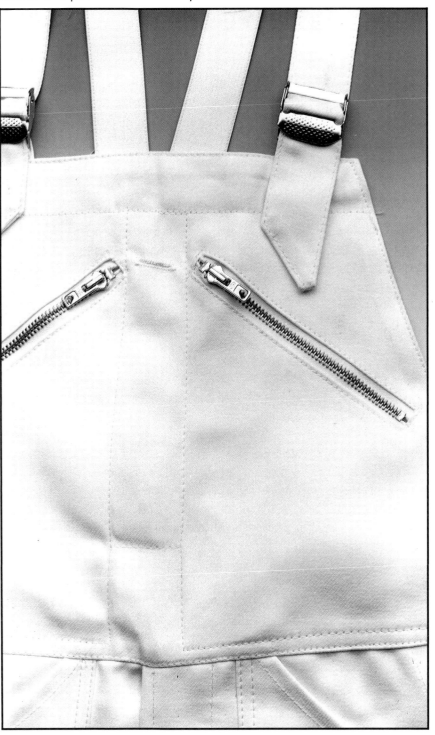

LE K-WAY

...Ils étaient partis tôt le matin et marchaient en silence entre les rochers plats et rouges posés là sur la grève et jusqu'au fond de la mer qui avait souvent changé de couleur depuis l'aube. En cette fin de saison ou fin de vacances et peut-être de leur histoire, ils avaient voulu faire le tour de l'île sur laquelle ils avaient passé l'été sans sortir de la grande maison blanche aux volets souvent

clos. Trop loin des choses de cette nature ou des gens qui l'habitaient, ils ne savaient pas que lorsqu'on ne voyait plus le grand rocher noir à l'ouest, c'était le signe que le temps allait se perdre dans le désordre de la tempête. A peine arrivés au dernier tournant du chemin des douaniers, les nuages noirs ou gris dans lesquels elle avait reconnu la silhouette d'un cheval fondirent en une bruine caressante. Le vent faisait plier les ajoncs. Sans se concerter, ils portèrent tous deux les mains à leur ceinture et détachèrent la pochette en forme de demi-lune. Ils l'ouvrirent, la retournèrent et enfilèrent les parkas de nylon enduit simple face, modèle de base 025, page 3 du catalogue sport-nature des établissements Duhamel. L'un était vert, l'autre marine. Il se rappela alors qu'il avait acheté ces deux-là lors d'une autre histoire, c'était il y a vingt et un ans déjà. Il les avait payés à l'époque 31 F. Il s'en souvenait, car c'était cher pour lui, mais il en avait eu besoin pour

partir en montagne avec M. Ou à la pêche avec B., il ne savait plus. Longtemps, il avait songé à en acheter de nouveaux comme deux millions et demi de Français le faisaient chaque année, mais il était attaché à ceux-là qui étaient moins jolis et moins parfaits aussi puisque le tissu d'avant ne laissait pas passer l'air. Il eut soudain envie de dire, tout en sentant qu'il commettait un impair : « *Heureusement qu'on a pris les K-ways. Elles sont bien ces capotes françaises.* » Immédiatement, elle répliqua que ce n'était pas le moment de plaisanter, mais qu'effectivement, puisqu'on avait ces coupe-vent, on pouvait aussi bien faire le tour de l'île dans la tempête, et que s'il aimait tant ces trucs-là il pouvait peut-être faire partie de l'école de ski de Tignes ou même de l'équipe de France et qu'alors il serait habillé de pied en cap par la marque qu'il avait nommée. Qu'il pouvait aussi aller au Canada, en Allemagne, au Portugal ou en Italie, et qu'il en trouverait encore là-bas. « *Comment sais-tu tout cela?* » dit-il sans attendre la réponse qui l'ennuyait déjà et tout de suite ajouta : « *C'est bon la pluie. C'est si vieux.* » Ils partirent en courant. Sous leur capuche, on ne savait plus qui ils étaient, ni s'ils étaient fâchés vraiment.

LE NOILLY PRAT EXTRA-SEC

Il serait erroné de penser que quelques gouttes de Noilly additionnées d'un soupçon de Prat font un Noilly Prat. En vérité, la consultation attentive de l'almanach vermouth nous enseigne qu'en l'an 1800 Joseph Noilly entra dans l'histoire des plaisirs en inventant un vermouth que son association, quarante ans plus tard, avec son gendre Claudius Prat, allait rendre célèbre dans le

monde entier. Le plus ancien vermouth français est élaboré en face de Sète, sur le bassin de Thau, où, s'étonnait Paul Valéry, *« les vermouths naissent par magie »*. Une magie provoquée par le mariage d'amour du picpoul et de la clairette, deux vins blancs secs, additionnés, après maturation et vieillissement à ciel ouvert, d'une composition d'herbes et de plantes aromatiques, dont le secret a, jusqu'à présent, été mieux gardé que les plans du Concorde. Le motif floral de l'étiquette, œuvre d'un imprimeur lithographe marseillais,

est inchangé depuis 1877. Il figure sur les étagères de tout bar qui se respecte aussi inévitablement que l'effigie du président de la République dans une mairie. Aux États-Unis où, comme aurait pu dire Paul Valéry, les cocktails naissent par magie, le Noilly Prat extra sec s'est imposé de New York à Los Angeles. Les assoiffés célèbres de Hollywood, qui commandaient un Dry Martini, un Manhattan ou un Americano, savaient-ils qu'il s'agissait au départ d'une histoire de picpoul et de clairette ? Sait-on d'ailleurs, aujourd'hui, que de grands restaurants proposent des plats sauce NP ? Comme, par exemple, le saumon frais en papillote de l'Oustau de Baumanière, ou bien le filet de bar (l'association bar-NP était en effet difficilement évitable), ou encore la cassolette d'escargots de Lasserre. La dernière chose à ne pas ignorer est qu'un Noilly Prat se précède toujours d'un : *« Garçon »* !

LA CLÉ FACOM

La lecture du catalogue Facom (qui comporte 416 pages, a été traduit en 7 langues, et dont la réalisation a coûté 20 millions de francs), joint l'outil à l'agréable. Pour le néophyte ou le rêveur, elle permet de découvrir, par l'image et en couleurs, un arrache-cosse, une brucelle, une bédane, un chasse-rotule, un ébavureur, un pointeau, une pompe à tarer les injecteurs, une soufflette ou

classés par famille, leur permettront de visser, serrer, frapper, boulonner, tarauder, cintrer ou riveter, de la main gauche ou de la main droite, à l'envers ou à l'endroit, et au millimètre près. La maison Facom (Franco-américaine-de-construction-d'outillage-mécanique) s'est mise au

boulon depuis 1918. Louis Moses fonde forge et usine dans un petit atelier de la rue de Chalon à Paris. Les dix ouvriers ne fabriquent alors qu'un seul outil, une clé de serrage, et n'ont qu'un seul client, la SNCF. De la rue de Chalon à Gentilly, jusqu'à Ezy-sur-Eure et Morangis, la production est passée à 60 millions d'outils par an, les actions sont cotées en bourse et des filiales ont été créées aux Etats-Unis, en Suisse, en Allemagne, en Belgique ou en Italie. Cent cinquante camions, chargés des dernières nouveautés du fameux catalogue, roulent en Europe et présentent, à l'arrêt, les outils garantis à vie. Tout ce qui est serrage délicat sur train à grande vitesse, diagnostic automobile, maintenance de robots ou mécanique en général est signé, sans vis de forme, des cinq lettres du meilleur outilleur Français.

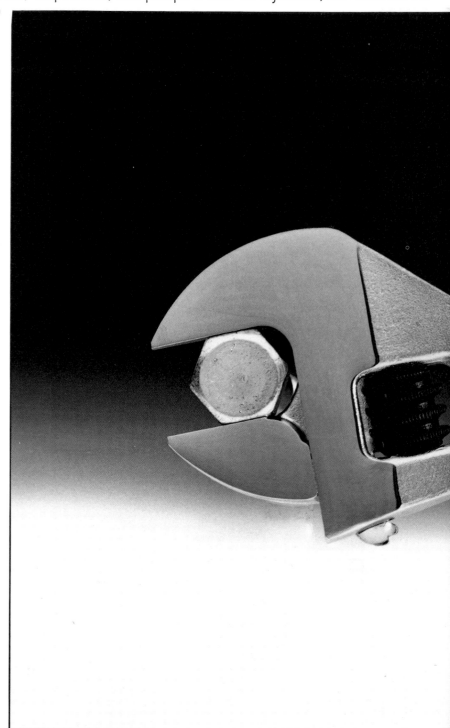

un trusquin. Elle montre aussi que lorsque l'on parle de clé, il peut s'agir de clé à molette bien sûr, mais aussi de clé à ergots, à crémaillère, à douille, à béquille, à pipe, à fourche ou polygonale demi-lune. Le meilleur outil du premier fabricant européen est en effet son catalogue. Il permet aux acheteurs de voir et de choisir l'instrument, qui, parmi les 6 000 autres, bien rangés et

Composé chez RHAPSODY, Les Ulis
Photogravure : Fotimprim
Achevé d'imprimer
en octobre 1989
sur les presses de l'imprimerie
I.M.E. - 25-Baume-les-Dames
Dépôt légal 4e trimestre 1989
Nº d'imprimeur 7374